Coleção Literatura Brasileira

TOMÁS ANTÔNIO GONZAGA

1. MARÍLIA DE DIRCEU

MACHADO DE ASSIS

1. RESSURREIÇÃO • 2. A MÃO E A LUVA • 3. HELENA • 4. IAIÁ GARCIA • 5. MEMÓRIAS PÓSTUMAS DE BRÁS CUBAS • 6. QUINCAS BORBA • 7. DOM CASMURRO • 8. ESAÚ E JACÓ • 9. MEMORIAL DE AIRES • 10. CONTOS FLUMINENSES • 11. HISTÓRIAS DA MEIA NOITE • 12. PAPÉIS AVULSOS • 13. HISTÓRIAS SEM DATA • 14. VÁRIAS HISTÓRIAS • 15. PÁGINAS RECOLHIDAS • 16. RELÍQUIAS DE CASA VELHA • 17. CASA VELHA • 18. POESIA COMPLETA • 19. TEATRO.

LIMA BARRETO

1. RECORDAÇÕES DO ESCRIVÃO ISAÍAS CAMINHA • 2. TRISTE FIM DE POLICARPO QUARESMA • 3. NUMA E A NINFA • 4. VIDA E MORTE DE M. J. GONZAGA DE SÁ • 5. CLARA DOS ANJOS • 6. HISTÓRIAS E SONHOS • 7. CONTOS REUNIDOS.

JOSÉ DE ALENCAR

1. CINCO MINUTOS (1856) • 2. O GUARANI (1857) • 3. A VIUVINHA (1860) • 4. LUCÍOLA (1860) • 5. IRACEMA (1854) • 6. ALFARRÁBIOS • 7. UBIRAJARA (1874) • 8. SENHORA (1875) • 9. ENCARNAÇÃO (1893).

MANUEL ANTÔNIO DE ALMEIDA

1. MEMÓRIAS DE UM SARGENTO DE MILÍCIAS

EDUARDO FRIEIRO

1. O CLUBE DOS GRAFÔMANOS • 2. O MAMELUCO BOAVENTURA • 3. BASILEU • 4. O BRASILEIRO NÃO É TRISTE • 5. A ILUSÃO LITERÁRIA • 6. O CABO DAS TORMENTAS • 7. LETRAS MINEIRAS • 8. COMO ERA GONZAGA? • 9. OS LIVROS NOSSOS AMIGOS • 10. PÁGINAS DE CRÍTICA • 11 O DIABO NA LIVRARIA DO CÔNEGO • 12. O ALEGRE ARCIPRESTES • 13. O ROMANCISTA AVELINO FÓSCOLO • 14. FEIJÃO, ANGU E COUVE • 15. TORRE DE PAPEL • 16. O ELMO DE MAMBRINO • 17. NOVO DIÁRIO.

BERNARDO GUIMARÃES

1. A MINA MISTERIOSA • 2. A INSURREIÇÃO • 3. O BANDIDO DO RIO DAS MORTES • 4. A ESCRAVA ISAURA.

MÁRIO DE ANDRADE

1. OBRA IMATURA • 2. POESIAS COMPLETAS • 3. AMAR, VERBO INTRANSITIVO • 4. MACUNAÍMA • 5. OS CONTOS DE BELAZARTE • 6. ENSAIO SOBRE A MÚSICA BRASILEIRA • 7. MÚSICA, DOCE MÚSICA • 8. PEQUENA HISTÓRIA DA MÚSICA • 9. NAMOROS COM A MEDICINA • 10. ASPECTOS DA LITERATURA BRASILEIRA • 11. ASPECTOS DA MÚSICA BRASILEIRA • 12. ASPECTOS DAS ARTES PLÁSTICAS NO BRASIL • 13. MÚSICA DE FEITIÇARIA NO BRASIL • 14. O BAILE DAS QUATRO ARTES • 15. OS FILHOS DA CANDINHA • 16. PADRE JESUÍNO DO MONTE CARMELO • 17. CONTOS NOVOS • 18. DANÇAS DRAMÁTICAS DO BRASIL • 19. MODINHAS IMPERIAIS • 20. O TURISTA APRENDIZ • 21. O EMPALHADOR DE PASSARINHO • 22. OS COCOS • 23. AS MELODIAS DO BOI E OUTRAS PEÇAS • 24. TÁXI E CRÔNICAS NO DIÁRIO NACIONAL • 25. O BANQUETE.

OS LIVROS NOSSOS AMIGOS

Coleção Literatura Brasileira

Diretor editorial
Henrique Teles

Produção editorial
Eliana Nogueira

Arte gráfica
Ludmila Duarte

Revisão
Mariângela Belo da Paixão

EDITORA GARNIER
Belo Horizonte
Rua São Geraldo, 67 - Floresta - Cep.: 30150-070 - Tel.: (31) 3212-4600
e-mail: vilaricaeditora@uol.com.br

EDUARDO FRIEIRO

OS LIVROS NOSSOS AMIGOS

2ª Edição

GARNIER
desde 1844

Dados Internacionais de Catalogação na Publicação (CIP) de acordo com ISBD

F9111 Frieiro, Eduardo, 1889-1992.

Os livros nossos amigos / Eduardo Frieiro. - 2ª ed. - Belo Horizonte, MG : Garnier, 2020.
162 p. : il. ; 14cm x 21 cm.

Inclui índice.
ISBN 978-85-7175-174-3

1. Livros. I. Título.

2020-311 CDD 070.5
CDU 070.4

Elaborado por Vagner Rodolfo da Silva - CRB-8/9410

Índice para catálogo sistemático:

1. Livros 070.5
2. Livros 070.4

TÁBUA DAS MATÉRIAS

Alguns Apontamentos

Moacyr Andrade

Um aviso prévio aos que lerem o que aqui deixo sobre Eduardo Frieiro, num momento em que o ESTADO DE MINAS quer fixar traços do grande escritor brasileiro que chega aos 90 anos. O aviso é este: aqui vão somente poucos apontamentos sobre ele, descosidos, sem pretensão a estudo ou biografia. Anotações de um conhecimento com ele, de mais de 60 anos.

Autodidata — Frieiro é o exemplo mais luminoso de autodidata que o Brasil pode apresentar. Há outros muitos exemplos, sem dúvida. Mas o dele parece-me o mais curioso, pela formação e carreira do escritor que é sem dúvida, Mestre maior das Letras no País, o que só não sabem os que ainda não o leram. E estes perdem pontos de sua culturação, por tal descuido.

Seus conhecimentos são profundos em quase tudo que é saber humano. Onde não é profundíssimo, é sempre o conhecedor bem equipado e lúcido, para dar banhos de segura informação. Basta perguntar-lhe e ouvi-lo. Não se instruiu "à la diable", embora fora de escolas, pois não foi o menino além da escola primária de uma antiga professora. O restante imenso ele procurou sozinho, mas metodicamente, rigorosíssimo no estudo curricular das matérias dos ginásios da época, feito porém, por ele em casa avaliando o progresso de seus conhecimentos, para ele mesmo promover-se ao período seguinte. Professor e aluno numa pessoa só! E ambos criteriosos: o professor exigente e o aluno querendo saber. Com esse sistema curioso de estudar sozinho, dominou todas as matérias que constituíam, na sua juventude, o chamado curso de Humanidades. E assim lá foi estudando sozinho. Assim, penetraria nos estudos de ordem universitária, percorrendo os livros todos necessários, que ia buscando, mas sem qualquer mestre exterior. E, desse modo, sem diploma, ficou douto em tudo o que oficialmente é requerido para a pompa de diploma universitário. Foi essa proeza Vitoriosa completada por sua vontade firme de equipar-se intelectualmente sempre mais, mas sem dar saltos. Tudo ordenadamente. Nada de estudos pela rama.

Foi o leitor mais assíduo da antiga Biblioteca Municipal, instalada no primeiro andar do Conselho Deliberativo, à Rua da Bahia. Frequentava-a de dia e à noite. Leu tudo o que havia lá nas prateleiras, desde a tarde até a hora de fecharem a Biblioteca. Os empregados daquela repartição da Prefeitura diziam que ele conhecia até o lugar exato onde estava cada livro, sem precisar de consultar as fichas.

Era ainda o adquiridor constante de livros da Livraria Alves, que lhes iam causando interesse.

Inglês aprendeu sozinho, como o francês também e o latim. Conhece o espanhol tão bem quanto conhece o português. O espanhol ter-lhe-ia de ser familiar, porque seus pais eram espanhóis.

A isso dever-se-á muito de sua predileção pela literatura hispano-americana, que ensinou, como catedrático, na Faculdade de Filosofia da UFMG.

Apaixonado pela literatura francesa, conhece-a como poucos letrados nossos, desde os clássicos até os escritores franceses de nosso tempo. E nada de conhecimento superficial. Conhece a fundo, para opinar, criticar com autoridade.

Nosso conhecimento — A minha intimidade com Frieiro começou em novembro de 1918, embora o conhecesse de vista, pois eu era revisor da Imprensa Oficial e ele tipógrafo da sala de Composição de Obras, chefiada por "seu" Manoel da Costa, mulato cumpridor dos deveres, respeitador dos superiores e que entrava em estado gozoso ao ver-se chamado "tenente", porque, ainda em Ouro Preto, obtivera tal patente da Guarda Nacional. Esse Manoel da costa apregoava ser Frieiro o mais perfeito tipógrafo de sua seção e por isso a ele distribuía sempre os serviços de composição mais difícil, que exigiam arte e zelo — os trabalhos de "quadros" e corondel. Frieiro dava conta magnífica das tarefas que exigiam técnica e paciência, pois era um grande artista gráfico e não apenas um puxador de linhas no componedor.

Conhecemo-nos num encontro no "Bar do Ponto", em novembro de 1918, falamos da "gripe espanhola" que o levara ao leito e a mim também. A "gripe" era assunto obrigatório, pois todos a padeceram.

Foi ela que matou o poeta Mendes de Oliveira, com toda sua fortaleza física. Ficamos daí para diante, definitivamente amigos. Éramos então solteiros: eu com 21 anos e ele bem mais. Só saíamos juntos. Separavamo-nos à noite, até às dez horas, porque ele lá ia para a Biblioteca Pública, ler, ler, ler...

Mas nos encontrávamos depois das dez, e íamos conversar, de pé, nas ruas ou no botequim do Fausto, um italiano amável, de bigodões enormes, instalado na Rua Rio de Janeiro, perto da Avenida do Comércio. Lá havia os famosos e enormes sanduíches da casa e cerveja "Negrinha", saborosíssima, fabricada por Paulo Simoni, custando 500 réis a garrafa. O chope ainda não entrara no mercado.

Conversávamos sobre tudo, desde os acontecimentos banais da cidade até coisa de livros. Tinha sempre novidades a contar sobre o que lera. Toda quarta-feira, comprávamos a "Gazeta de Notícias" do Rio, que aqui chegava pelo trem rápido às 22 horas, para apreciarmos a crônica de Antônio Torres, o jornalista desabusado e irreverente de Diamantina, que largara a batina e fazia furor na imprensa carioca, com o seu extraordinário talento e mordacidade, sobretudo ao tratar os bonzos literários da época.

Antônio Torres, zurzia-os de todo jeito com muito "humor". Ora eu lia a sua crônica em voz alta para o Frieiro ouvir, ora ele a lia para mim. Depois, ou íamos para nossas casas ou íamos dar um bordejo pela parte boêmia da cidade, as ilhargas da Rua Rio de Janeiro, onde estava o boteco do Fausto.

O pessoal da Imprensa Oficial estranhava muito aquela irmanação eu, Frieiro, pois ele era tido pelos colegas como avesso a rodas e companhias. No entender de todos da repartição ele era avesso a amizades, sujeito recolhido e caladão. Tinham mesmo de estranhar tal amizade, pois eu era extrovertido e falante. O Major Augusto Serpa, o admirável chefe das oficinas da Imprensa Oficial, o "chefão" da casa toda, várias vezes me dizia rindo com seu sotaque lusitano:

— Olha que você está perdendo o Frieiro, que é um tipo sossegado, pois todas as noites são vistos os dois lá em baixo. "Lá em baixo" era a parte boêmia da cidade.

O Frieiro achava graça no reparo alegre do velho Serpa. E dessa época em diante sempre amigos, embora eu depois com 24 anos me casasse.

O casamento não separou a convivência. Mais tarde, nós dois na redação do "Minas Gerais", e portanto, já não apartados algumas horas pela diferença do horário de trabalho, mais ainda teríamos tempo para o prosear. Era um bate-papo sem fim.

— Onde está o Frieiro?

— Está ali com o Moacyr.

— Você viu por aí o Moacyr?

— Tem que estar por aí com o Frieiro.

Amizade sólida e boa. Eu percebendo muito bem quanto ele valia intelectualmente.

Os outros companheiros achavam apenas que ele era muito "lido" e inteligente.

É que ele não conversava com os outros tanto quanto conversava comigo.

Curioso: ninguém na repartição imaginava que ele fosse capaz de escrever. Ninguém mesmo. Só eu.

Eu sabia até que ele, às vezes, mandava umas coisas, com pseudônimo para "A Lanterna" de São Paulo, jornal taxado de anarquista. E eu também sabia que, ainda como tipógrafo, e depois já na redação, ele enxertava no jornal "Avante!" do Dr. Amadeu Teixeira, semanário feito no Governo Melo Viana, nas oficinas da Imprensa Oficial, coisas dele, colaborando discretamente no semanário do dr. Amadeu. Nesse jornal ele fez apreciações farpeadoras dos "modernistas" locais, com o pseudônimo Bento Pires.

O Modernismo estava começando aqui em Minas.

Liam o jornal mas não sabiam que Bento Pires era ele.

Muitos desses retalhos escritos para o "Avante" entraram depois para o seu primeiro livro: "Clube dos Grafômanos".

Primeiro escrito assinado - Um dia, apareceu aqui em Belo Horizonte, Victor Silveira, jornalista carioca famoso, com a disposição de editar uma obra completa sobre Minas Gerais, chamou-me para nela colaborar. Mas ansiava por outros colaboradores para darem conta de vários capítulos do livro, que seria opulentíssimo. Precisava no momento de alguém bem culto capaz de escrever sobre a "Arte de Minas" — a pintura, a escultura, música, etc.

Dizia Victor:

— Quero um sujeito de talento que faça uma obra perfeita.

Imediatamente o nome de Frieiro teria de vir à minha cabeça, pois era ele a pessoa que Victor queria. Conversei com Frieiro sobre o assunto. Contei-lhe o plano da obra e o chamei, para apresentá-lo ao Victor, que morava na Avenida São Francisco, hoje Olegário Maciel. Ele repeliu logo a ideia. Não era homem de aparecer. Não queria escrever, não gostava disso. Gostava era de ler. Nada de ver seu nome assinando qualquer coisa. Foi até estabanado na recusa.

Respondi-lhe: "Já falei com o Victor que você é o homem indicado e prometi levá-lo lá, para você ver o que ele quer que seja escrito".

— Não vou! Você fez muito mal em indicar-me.

Insisti: ao menos você vai lá, para ouvir o Victor e depois lá recusa.

— Nem isso. Não vou lá!

Estávamos na Avenida Afonso Pena.

Embora recalcitrando, concordou em ser levado à casa do Victor Silveira, mas este era de prosa atraente. Faiscava inteligência.

Conversou bastante com o Frieiro. Sentiu pela conversação que ele era um "achado" para a obra que ia executar.

Frieiro ainda quis recusar, mas afinal, aceitou a incumbência, tal a insistência simpática de Victor.

Concordou em escrever para o livro projetado o capítulo sobre Arte em Minas. E os entregou prontos, os originais, em cinco dias... Victor leu e ficou contentíssimo. Via concretizado no escrito o que já percebera: os grandes conhecimentos de Frieiro. Gabou demais o seu estilo: que rapaz para escrever bem! Estava realmente entusiasmado.

Pagou-lhe por esse trabalho 600 mil réis, dando-lhe um cheque. Era essa importância muito grande naquele tempo.

Foi esse primeiro dinheiro que entrou no bolso do Frieiro, por produção literária.

Clube dos Grafômanos — Na redação do "Minas", e pela necessidade de convivência até com muita gente estranha, Frieiro foi ficando mais sociável. E então reconheciam todos que ele, vencida a barreira do primeiro relacionamento, era um conversador interessantíssimo, que causava admiração pelo que dizia e opinava, sobretudo sobre Letras.

Foi com surpresa que recebi dele a notícia de que reunira uns rebolhos do que escrevia e pensava em publicar um livro. A dúvida estava em não querer ver seu nome como autor. Afinal, deliberou por dar o nome ao livro.

E apareceu o "Clube dos Grafômanos". Era o dedo do gigante da cultura literária que se punha de fora. Estava lançado nas letras brasileiras o Frieiro, para nelas figurar entre os escritores que mais as engrandecem: no cimo, na culminância.

Todos os que conhecem o que ele escreveu sabem isso. É estranhável não seja mais dilatado pelo país inteiro o número dos que o leram. Atribuase essa falta de conhecimento, que deveria abranger totalmente o Brasil, ao fato de edições pequenas de seus livros, mal distribuídas, e à editoração realizada aqui em Minas.

Quando foi ele nomeado diretor da Biblioteca Pública do Estado, o ato governamental foi considerado o mais certo que poderia fazer um governante. Estava ele no seu "habitat". Transformou como se sabe, a Biblioteca, dando-lhe rumo grandioso.

O professor maior — Ao fundar-se aqui a Faculdade de Filosofia, iniciativa arrojada que era do sacrifício, procuraram-no.

Foi custo convencerem-no a aceitar uma cadeira. Alegava não ter jeito para professor. Mas foi lá dentro logo considerado um dos melhores professores da Faculdade, que depois foi incorporada à Universidade Federal de Minas Gerais, passando ele, como professor fundador, a catedrático de Literatura Hispano-Americana, que era a sua cadeira.

Glorificação justa, esperada, à sua inteligência e notável cultura.

Exaltação do saber puro, autêntico.

Aposentou-se, por limite de idade, aos 70 anos, na cátedra a que deu fulgor, sendo sucedido por uma jovem que ele admirou antes como aluna, estimulou e aconselhou na preferência de rumos de estudos literários e que é essa fulguração de Maria José Queiroz. Foi ela primeira livre-docente por concurso e, depois da aposentadoria de Frieiro, sua sucessora como catedrática da Faculdade, também por concurso. Quando Maria José Queiroz se candidatou à Academia Mineira de Letras (e todos nós acadêmicos, querendo nela votar), Frieiro era o mais feliz pelo acontecimento. Foi ele que a recebeu na Academia.

Ele nunca ambicionou honrarias, postos, posições. É alérgico a tudo isso. Essa alergia é orgânica nele. Entretanto, Mário Casassanta, ouvindo os acadêmicos, quis levá-lo para a Academia Mineira de Letras, na vaga aberta com o falecimento do romancista Avelino Fóscolo. Foi uma tarefa dura, Frieiro não queria mesmo ser acadêmico. E Mário a insistir, falando-lhe que falava pelos acadêmicos. Depois de uma grande luta para vencê-lo, convencendo-o, conseguiu dele Mário Casassanta a assinatura do requerimento de inscrição, que lhe levou já pronto, datilografado, faltando só ser por ele assinado. Não pediu votos a nenhum de nós acadêmicos. Foi feito acadêmico por unanimidade, quase à força.

Depois de haver entrado, foi durante muito tempo ativíssimo acadêmico, presente às reuniões. Depois pelo comodismo pedido pela idade, deixou de frequenta-la, só comparecendo às sessões solenes. A Academia considera-se prestigiada em dizer que Frieiro faz parte dela. E os acadêmicos em se declararem seus colegas.

O erudito — Tem surpreendido Frieiro, pela versatilidade de seus conhecimentos, até figuras da Ciência que com ele conversavam. Ainda jovem, foi cliente do grande Médico Professor David Rabelo e com ele conversava nos dias em que ia ao consultório.

David perguntou-lhe uma vez:

— O Sr. é estudante de medicina? Não é?

Ouviu o "não" e ficou surpreendido, pois nas conversas, Frieiro mostrava conhecer anatomia, fisiologia e outras coisas da medicina. Esse fato me foi contado pelo próprio Dr. David,

É que ele tudo lia com interesse, para saber.

Num concurso para a revisão que se deu no "Minas Gerais", ele, já redator, foi designado examinador.

Havia provas de matemática no concurso. Quem estava na banca examinadora para a parte de matemática era o conhecido e acatado Professor Nivaldo Reis. Na hora de examinar as provas dos concorrentes, ele se ofereceu para ajudar Nivaldo Reis na correção das provas. Nivaldo ficou espantado pelo exame que Frieiro fazia nas provas, pois verificou que ele também sabia matemática e muito bem!

Aníbal Matos, o saudoso pintor, dizia-me:

— "Conhece o Frieiro História da Arte e opina sobre Arte com mais senso que muito artistas de nome e críticos de Arte que andam por aí, deitando sapiência".

Para o maior livro sobre Minas, até hoje já publicado — "Minas Gerais em 1925" — ele escreveu os capítulos sobre a Arte em Minas — Pintura, Escultura e Música. São páginas de um grande conhecedor do assunto.

Carlos Goes, o grande mestre da nossa língua, tinha contato com Frieiro, quando fazia, na Imprensa Oficial, o seu admirável livro "Raízes e Cognatos".

Frieiro era então tipógrafo e compunha o livro do mestre. Um dia, fez uma observação ao professor eminente sobre certa "raiz" de uma palavra. Delicadamente discordava do que o autor escrevera. Mestre Goes anotou a observação de Frieiro e, no dia, seguinte, ao devolver as provas emendadas, disse-lhe: "O senhor tem toda razão. Fiz novas consultas e verifiquei que o sr. está certo".

Conversaram então mais um pouco e Goes correu ao gabinete do diretor da Imprensa; que era Noraldino Lima, seu colega de Academia, para dizer-lhe isto: "Você não sabe que tem aí na Imprensa um tipógrafo que conhece Português mais que muitos bons professores. É o Frieiro".

Noraldino, é claro, até então não sabia. Frieiro ocultava-se demais.

EDUARDO FRIEIRO

Nasceu Eduardo Frieiro em Matias Barbosa (Minas Gerais) em 5 de julho de 1889.

Concluindo o curso primário, ingressou na Imprensa Oficial do Estado de Minas como aprendiz de tipógrafo. Conquistou em concurso o lugar de revisor do órgão Oficial do Estado "Minas Gerais" passando sucessivamente a chefe de revisão, a redator e a redator secretário. Reconhecidos seus notáveis dotes intelectuais, foi convocado para assistente técnico do diretor da Imprensa Oficial.

Começou, entretanto, nas suas atividades jornalísticas em 1924. Totalmente infenso a expansões ruidosas, inimigo de alardes e armazenando os estudos, fechando-se em silêncio total. Somente em 1925, é que aparecia seu primeiro trabalho, "Artes do Desenho em Minas Gerais".

Publicou os romances: "Clube dos Grafômanos" (1927), "O Mameluco Boaventura", "Inquietude", "Melancolia", "Ensaios", "O Brasileiro não é Triste", "A Ilusão Literária", "O Cabo das Tormentas", "Letras Mineiras" (coletânea de crítica literária), "Os Livros Nossos Amigos", "O Diabo na Livraria do Cônego", "Como era Gonzaga", "Páginas de Crítica", "O Alegre Arcipreste", "O Romancista Avelino Fóscolo" e outros temas da literatura espanhola. Tem prontos alguns trabalhos, entre os quais está anunciado "O Elmo de Mambrine".

Sua colaboração esparsa pelo jornais é extensa. Alcançando, merecidamente, o título de doutor em letras neolatinas pela Faculdade de Filosofia da Universidade de Minas Gerais, pertenceu ao seu quadro de professores como catedrático de Literatura Espanhola e Hispano-Americana. Planejador da Biblioteca Pública de Minas Gerais, foi seu primeiro diretor, cargo que desempenhou durante nove anos. Está em plena atividade, cioso de prestar à cultura de Minas e do Brasil a contribuição de que é capaz.

Dirigiu a "Revista da Academia", lançando à publicidade dois excelentes números. Espírito brilhante, dotado de invulgar capacidade de trabalho, é sempre pontual, pontualíssimo nas incumbências que lhe são conferidas. "Causer" fino, dono de ironia suave, dotado de ampla e cintilante cultura é uma das figuras mais ilustres da acadêmia.

Conhecedor da Literatura Espanhola e da Literatura Hispano-Americana, tornou-se sem favor algum, autoridade respeitada em matéria literária. Sua vida constitui o que seria modelo perfeito de lutador que, começando modestamente em ofícios humildes, se elevou a ponto alto no magistério das letras mineiras e brasileiras.

Recebeu a Medalha da Inconfidência, conferida pelo Governo de Minas. Laureado em 1960 com o prêmio Machado de Assis, da Academia Brasileira de Letras, pelo conjunto de sua obra publicada. Dirige desde 1947 a revista Kriterion, da Faculdade de Filosofia da Universidade de Minas Gerais.

Recebeu o título de professor emérito da Universidade Federal de Minas Gerais.

Nota de Eduardo Frieiro a propósito de seu sobrenome paterno:

Meu sobrenome paterno parece uma palavra portuguesa ou brasileira. Mas não é. Não é também castelhana. Na escola primária, um menino, para me debicar, dizia Frieira, por alusão a um incômodo da pele que dá nos entrededos dos pés, até hoje muitas pessoas pronunciam erradamente o nome Frieiro.

Não sei porque, escrevem ou pronunciam Frero, Friero, Frieno, Freire, Ferreir ou coisa parecida. A palavra é galega. Só há pouco tempo, por acaso folheando um tomo da grande enciclopédia Esparsa, descobri a palavra Frieiro. Significa lugar frio, batido de vento. Encontrei ali o topônimo Frieiro, existente na província de Pontevedra, terra onde nasceram meu pai e minha mãe. Registra dois outros topônimos iguais na província de La Coruña.

Devo lembrar que o Galego é um idioma independente do castelhano, muitíssimo parecido com o português. A gente galega é também parecida com a gente lusa. No idioma castelhano, não há palavras terminadas em "eiro". No galego há muitíssimas: Frieiro, ferreiro, cieiro, soeiro, loureiro, cuveiro, etc.

A Galiza, como é sabido é uma terra de grande emigração. O galego, pobre, numa região de poucos recursos econômicos, não tem outro recurso senão emigrar. Espalha-se pelo mundo todo. Trabalha e propera. Sua literatura foi das mais ricas nos séculos XII a XIV. E depois no XIX. Poetaram em galego líricos de várias partes, portugueses, espanhóis, catalães, etc. Entre os quais dois reis, Alfonso X, El Sábio e D. Denis.

Outros Frieiros emigraram para o Brasil e alhures. Não fomos os únicos.

CAPÍTULO I

Arte de amar os livros

A "necessidade física" da leitura. Mulheres e livros. O bibliófilo e o seu tesouro de papel impresso. A biblioteca, serralho das belas edições. A *editio princeps* e a felicidade do bibliólatra. Os glutões de livros. Caricatura do bibliómano. Opinião de livro-velheiro. Arte de amar os livros.

Há uma arte de amar os livros, como há uma arte de amar ovidiana, uma arte de amar o amor. Querer bem aos livros é sentimento que se parece muito com o amor dos sexos. Em ambos há sensualidade e o egoísmo. Não são raras as pessoas que sentem a *necessidade física* da leitura. O volume de prosa ou verso ocupa na vida de alguns eleitos um lugar tão importante como a mesa, o sono e o amor.

Mulheres e livros. Nossas amadas e nossos guias. Se fosse forçoso escolher entre eles e elas, quantos não vacilariam! Muitos, entanto, escolheriam os livros e se consolariam bem facilmente da ausência de ternura feminina.

O amante quer possuir só para si o objeto do seu amor. O bibliófilo guarda avaramente o seu tesouro de papel impresso. A biblioteca é o serralho em que este sultão conserva cativas as belas edições. Ali ninguém penetra sozinho. Dali não sai nenhuma peça, nem dada nem muito menos emprestada: mulheres e livros podem dar-se ou furtar-se, não se emprestam. Caso não seja possível passar sem bibliotecário, este será um ignorante, um castrado mental, o eunuco, enfim.

O bibliólatra contempla embevecido o exemplar belamente impresso: examina a boa qualidade do papel, a excelência dos caracteres, a nitidez da impressão, o perfeito acabamento de toda a obra; ou, então, queda-se em êxtase diante do exemplar estimado e raro: a felicidade está ali, naquela boa e bem autenticada edição *princeps,* no prestígio daquele nome de impressor, na magia daquela data recuada.

Mas o *gozo* não está só nos olhos; está no tato também. Os que amam apaixonadamente o livro gostam de o tocar, palpar, folhear, com deleitação não isenta de verdadeiro sensualismo. E o *gozo* está igualmente no olfato: o cheiro específico da obra impressa é-lhes tão capitoso quanto o *odor di femina* para os erotomaníacos.

O autêntico bibliófilo tem algo do *Homo eroticus:* se este deseja amar todas as mulheres como o insatisfeito Dom Juan, aquele anseia possuir todos os livros, como foi o caso do bibliômano Boulard que, na sua fúria de amontoar bouquins, chegou a comprar vários prédios em Paris, os quais foi atulhando com os seiscentos mil volumes que deixou ao morrer.

Há glutões de livros, como há glutões de mulheres. Para aqueles não há maus livros, como não há mulheres feias para estes. Mas o verdadeiro bibliófilo, como o autêntico amador de corações femininos, é exigente na sua escolha, prefere a qualidade à quantidade.

O bibliômano, pelo contrário, tem o gosto demasiado ostentatório. A vaidade nele sobrepuja o apetite. Que de livros comprados unicamente pela encadernação, o frontispício, uma vinheta!

O amor ao livro é uma consequência do amor à leitura; porém, como sucede tantas vezes na vida, dá-se frequentemente na bibliofilia uma inversão de valores, e o que é secundário torna-se o principal. O bibliófilo desta espécie é mesmo o mais comum. Pertence a esta marca muito conhecida aquele Warwick da Santa Joana de G. B. Shaw, que diz a certa altura da peça: — "Eis o que eu chamo perder tempo... *Nada há sobre a terra tão precioso como um bonito livro, com as colunas bem feitas, duma escritura em rica tinta negra, com bela cercaduras e lindas imagens iluminadas, sabiamente intercaladas na página. Mas em nossos dias, ao invés de olhar os livros, as pessoas os leem..."*

A paixão dos livros, como tudo o que é ilusão humana, tem sido escarnecida em todos os tons. Ilustrando uma caricatura do bibliômano do século XVIII, Jean Le Pautre fê-lo na seguinte quadra epigramática:

C 'est bien le plus grande fou qui soit dans Ia nature
Que celui qui se plaist aux livres bien dorez,
Bien couverts, bien reliez, bien nets, bien époudez,
Et ne les voit jamais que par Ia couverture.

No extremo oposto estão os que acham que o livro, depois de lido, é como um caju chupado: é bagaço, não serve para nada; isto é, serve para ser vendido novamente, e novamente lido, e assim até a sua total destruição nas mãos dos sucessivos leitores. Fim glorioso e legítimo, na verdade; fim a que deve aspirar todo livro que mereça realmente ser lido. Com esta opinião concorda plenamente o mercador de livros velhos, o livreiro de *sebo*, para quem o livro é, como a moeda, feito para circular de mão em mão, e quanto mais rapidamente, melhor.

Revolta ao bibliófilo este modo mercantil de considerar o livro. Porque ama o livro com um grande amor, deseja-o só para si, com exclusivismo, com ciúme de namorado.

Há, decerto, uma arte de amar os livros; mas é uma arte sutil que não se ensina. Os amorosos do livro já nascem feitos, sob um signo favorável. Pertencem ao número dos predestinados para os quais o livro se apresenta como coisa imprescindível à vida. São dos que não podem viver sem ele e que o consideram como parte de si mesmos. Por essa razão estão sempre a falar dos livros e do amor que lhes consagram, o que confirma a veracidade de sua paixão. Na verdade (a frase é de Charles Nodier), *"depois do prazer de possuir livros, e de os fruir a um tempo como simples amador e como estudioso, não há prazer mais vivo que o de falar deles"*.

CAPÍTULO II

A tectônica da "máquina de ler"

Da arte de bem imprimir, a mais amável das artes. O aspecto externo do livro. Arquitetura e arte tipográfica. Paul Valéry e a perfeita máquina de ler. W. Morris, Pelletan e a arquitetura da página *Tipographia inter musas decima*. Nobreza dos mestres quinhentistas da arte de imprimir. Decoro profissional. O livro brasileiro.

Não basta o gosto dos livros. Agrada-nos saber também como são feitos. Todo amor aspira a compreender o objeto amado, para que este se lhe revele em seu valor total. O perfeito bibliófilo deve possuir noções da arte de bem imprimir. Precisa saber como se faz um livro, de modo a ser capaz de apreciar-lhe toda a beleza e julgar das sábias regras que presidem a sua execução.

Há relações de harmonia entre o texto dum autor e as matérias que é necessário utilizar para se pôr em impresso a obra escrita. Entre aqueles que envolvem numa só devoção as boas letras e a arte de imprimir, existem alguns espíritos requintados para os quais o aspecto externo do livro, o papel, os caracteres, o formato, a disposição do texto e a sua impressão representam coisas viventes, ricas de sentido, fontes de símbolos e de *correspondências* baudelairianas.

Os que amam os livros e têm a paixão da bibliografia, os que se enlevam na contemplação duma página impressa com pulcritude, com elegância, sem a mais pequena falta de impressão, esses concordarão conosco: a arte de imprimir é a mais amável de todas as artes.

Já foi dito que nenhuma outra arte se avizinha tanto da arquitetura como a arte tipográfica. Exigem ambas, na verdade, o bom discernimento dos materiais e a sua justa adaptação. Ambas repousam sobre um sistema de relações definidas e estáveis que repelem o arbitrário e o extravagante. Numa e noutra, nota-se o mesmo equilíbrio de forças contrárias, a mesma combinação de claros e escuros, as mesmíssimas simetrias e alternâncias. Se Le Corbusier chamou à boa casa *máquina de morar*, Paul Valéry disse que o belo livro é uma perfeita *máquina de ler*. Do editor Pelletan, que realizou admiravelmente a arquitetura da página, pressentida por William Morris, conta-se que tinha o costume de dizer quando preparava uma obra:

"Estou edificando um livro". Nada deixando ao acaso, Pelletan previa tudo nos mínimos pormenores e nenhum lhe parecia transcurável.

São inúmeras as analogias, não só materiais mas também espirituais, entre o Livro, suprema expressão da Tipografia, e o Templo, o edifício no mais alto grau. Acaso não foram as catedrais góticas comparadas a verdadeiros poemas de pedra? E não sonhava Goethe, em Estrasburgo, com um livro que fosse como uma cadetral?

E indiscutível o alto valor artístico da Tipografia, invenção que como dizem que disse um rei de França, *"semble etre plus divine que humaine"*. Graças ao gênio criador de insignes arquitetos-tipógrafos, a arte do livro pode ser tida como uma das belas-artes. É sabido, aliás, que desde a sua invenção a imprensa foi considerada a décima musa: *"Typographia inter musa decima"*.

Em nenhum outro ofício, como no tipográfico, o trabalho manual se funde mais intimamente com o da inteligência. As leis que regiam outrora a arte de imprimir obrigavam os que a exerciam a conhecer devidamente o latim e a saber pelo menos ler o grego. Era então de regra que o impressor, geralmente homem erudito e que tinha estudantes como auxiliares, compreendesse aquilo que imprimia. Os príncipes do Renascimento italiano orgulhavam-se de conferir nobreza aos artistas do tórculo, e no século XVI francês os tipógrafos e impressores tinham o direito de usar a espada.

Os impressores ou editores de hoje não aspiram à nobreza. Já não há nobres. Aspiram, isto sim, à riqueza; e desta forma deixam muita vez de ser artistas para se classificarem apenas como negociantes.

Para ser editor, não basta o tino comercial. É necessário possuir gosto artístico, senso da perfeição. Por falta de tais qualidades é que se expõem à venda tantos livros feios e errados. Economia? Não. Carência de gosto e de jeito para o ofício, simplesmente. Na maioria dos casos, a boa apresentação do livro não lhe agrava o custo.

Felizmente, a par dos que só veem no negócio do livro o lado mercantil, há outros que cuidam decorosamente da sua feição artística. E a verdade é que as belas edições vão-se tornando mais numerosas e mais esmeradas que nunca. Jamais, como no nosso tempo, se fizeram tão formosos livros. O próprio livro brasileiro começa a apresentar-se com limpeza, capricho e gosto. Ainda lhe falta caráter, estilo próprio: é cópia, e frequentemente cópia servil, do livro europeu ou norte-americano. Mas, com o correr do tempo, é de esperar que adquira fisionomia autônoma, com a sua tectônica peculiar.

CAPÍTULO III

Ler e reler

A leitura e a idade. Uma estatística. A bulimia livresca dos moços. A idade madura prefere a qualidade à quantidade. O cansaço e a incuriosidade de homens e ideias. Tratados sobre a arte de ler. A leitura é uma amizade. O homem que lê: Don Marcelino Menéndez y Pelayo. Autores que repelimos na mocidade e amamos na madureza. Um livro não é o mesmo, lido em diferentes idades. A idade em que apenas se relê. Autores velhos e novos. Opinião de Unamuno. Conselhos do Padre Sertillanges. Leiamos o que nos agrada.

O diretor duma importante biblioteca da Suécia, país onde se lê muito, publicou uma estatística acerca das preferências dos muitos milhares de frequentadores do estabelecimento.

Por esse estudo, verificou-se que ali as pessoas de quinze a vinte anos leem em média uns quarenta volumes por ano, indo a preferência dos rapazes para os livros de aventuras e a das moças para as narrativas sentimentais.

Lá — e o mesmo sucede em todas as partes - a idade em que se lê mais é a que vai dos vinte aos trinta anos. A média é então de cento e cinquenta a duzentos volumes por ano.

Esses leitores preferem romances de costumes, tratados de política e sociologia. Os velhos leem pouco. Já não acham graça nos romances e só se interessam pelas memórias e obras de filosofia. Os leitores com mais de setenta anos são raríssimos. Dois por cento apenas. Nessa idade já nada se deseja, nem mesmo ler.

Tristão de Ataíde, em seu livro *Idade, Sexo e Tempo*, diz coisas muito pertinentes a respeito das idades e a leitura. Acentuando o espírito de aquisição ou apropriação, que caracteriza a mocidade, nota o desmedido apetite de leitura com que nessa idade se devoram livros e mais livros, sem olhar à qualidade. A essa verdadeira bulimia livresca, que costuma atacar os moços, sucede na idade madura — dos 35 aos 60 anos — o espírito de economia e seleção. "Tornamo-nos então muito mais difíceis de contentar, diz o ilustre pensador brasileiro. Já não queremos livros pelo livro, e sim o livro pelo seu conteúdo, pelo que de "bom" ou de "belo" ou de "útil" nos possa trazer. Aguça-se em nós o espírito crítico e facilmente nos impacientamos, como na adolescência, mas por outros motivos. A impaciência dos adolescentes é fruto da pressa de viver. A dos adultos é consequência do cansaço dos homens e das ideias."

Na mocidade, lê-se desencadernadamente. Em matéria de livros, como em assunto de mulheres, os moços preferem a quantidade à qualidade. Deseja-se, então, amar todas as mulheres e ler todos os livros.

Depois, a pouco e pouco, vai-se reduzindo o centro de nosso interesse, que, em compensação, se intensifica, enriquece e condensa, de modo a ganhar-se em profundidade o que se perde em extensão.

Legouvé, Faguet e outros escreveram excelentes tratados sobre a arte de ler. Assim como há moralistas ou erotologistas que indicam regras e limites para o amor, existem igualmente tratadistas da leitura, que aconselham normas para o trato com os livros. Redigem catecismos recomendando que não devemos ler de mais, que é preciso escolher as leituras, que é necessário ler atinadamente, com atenção, com método, com inteligência, etc., etc.

Conselhos ociosos, para a maioria dos casos. O rebanho conhece melhor que o pastor a erva que lhe convém. Assim os leitores. Fora dos livros de ensino, ou de formação e informação, só devemos ler os livros que respondem às nossas interrogações ou nos dão prazer. E na verdade só escolhemos o que estimamos.

Na frente deste volume acha-se inscrita a frase de Marcel Proust: *La lecture est une amitié.* Sim, a leitura é uma amizade, com esta diferença: amigos, verdadeiros amigos, entre os homens, só se fazem na adolescência e na mocidade; ao passo que, entre os livros, podemos fazê-los em todas as idades, e quase sempre diferentes.

E cada idade pede os seus. Livros que nos entusiasmaram na juventude, deixam-nos frios na maturidade. Autores que repelimos aos vinte anos — um Machado de Assis, por exemplo, — serão na madureza os nossos escritores mais diletos. Só depois de bem amadurecido o espírito, já no meio do caminho da existência, poderemos apreciar no seu alto sentido uma obra como o Fausto de Goethe. Aos doze anos, lê-se o Dom Quixote a contrapelo, muito a sério, tomando as suas aventuras como as dum autêntico herói, perseguido pela má sorte e vítima das maquinações de gente proterva e malvada. Para um leitor de vinte anos será talvez uma paródia caricaturesca de primeira ordem, uma obra-prima do melhor humorismo, a mais engraçada criação do gênio, em seu gênero. Mas só aqueles que já adquiriram bastante experiência da vida e dos homens é que poderão apreciar fundamente a burlesca idealidade, o amargo sentido tragicômico da loucura do bom fidalgo, que se acha sobretudo na segunda parte da obra de Cervantes.

Um agudo intérprete da obra cervantina, o finíssimo prosador espanhol Azorín, tem suficiente experiência para dizer que quanto mais entrado em anos tanto mais o leitor estará apto para captar o íntegro sentido e o pleno sabor do grande livro de Cervantes. *"Só quando chegamos à senectude, diz Azorín, é quando encontramos no Quixote toda a sua profunda espiritualidade e todo o seu fundo e confortador consolo."* E diz ainda que a segunda parte do Quixote, escrita em plena senectude, tem uma leveza, uma espiritualidade, um profundo e inefável desencanto, de que carece a primeira.

Cada idade pede seus autores, é certo. E também é certo que um livro não é só um estado de alma que varia com os leitores, mas um estado de alma variável segundo a idade e as circunstâncias de cada leitor.

Há uma idade para ler e outra para reler. Um poeta de nome — Baudelaire ou Vigny — que fazia as suas visitas de candidato à Academia Francesa, solicitando votos, foi recebido pelo filósofo e político Royer Collard. Este homem, ancião respeitável não conhecia as obras do visitante. E a razão que deu para paliar sua ignorância foi esta: — *"Na minha idade, senhor, já não lemos; apenas relemos."*

Na velhice, quando já se acha enormemente reduzido o horizonte da curiosidade, quando o homem já pertence, por assim dizer, mais ao passado que ao presente, é a ocasião própria para a releitura de velhos livros, a idade de confrontar impressões de ontem com as de hoje e retificar juízos, com o critério da experiência adquirida. Reler vale quase, então, como ler pela primeira vez.

Mas há leitores dotados de robusto apetite mental, que nunca se cansam de ler, mesmo em idade avançada. Há os que jamais conhecem jejuns de leitura, ou quaresmas intelectuais: leem sempre, leem muito, com insatisfeita curiosidade, e desejariam viver várias vidas para poderem ler todos os livros que julgam merecedores de leitura. E aqui vem à tona da memória, instantaneamente, o nome de Don Marcelino Menéndez Pelayo, o derradeiro grande erudito europeu, estupendo leitor, que a bem dizer não fez outra coisa na vida senão ler livros, juntar livros e escrever sobre livros. Aos doze anos, elaborava o catálogo de sua biblioteca em início, nada infantil, com trinta e quatro volumes, na maioria clássicos. Morto aos cinquenta e seis anos, deixou testamentariamente à sua cidade natal, Santander, uma preciosíssima biblioteca de cinquenta mil volumes. O Homem que lê, disse Guilhermo de Torre, não é uma abstração: personificou-se de maneira genial em Don Marcelino.

Ninguém poderá jamais gabar-se de que leu mais do que o grande crítico e historiador das letras espanholas. E como a vida é curta para lermos tudo o que desejaríamos ou poderíamos ler, o melhor é seguir o velho preceito que diz: *"Lede, não os bons livros, mas unicamente os muito bons, os excelentes."*

Pode surgir aqui, entanto, uma dificuldade preliminar: devemos ler só os livros antigos, os livros famosos, ou é preferível ler o que melhor nos apraz? Naturalmente, este último é o bom critério, variável segundo o gosto ou as tendências de cada leitor.

Há quem leia autores modernos e só ame as novidades. É o critério preferido pelos moços. Há os ecléticos, que tanto leem os antigos como os novos. E há enfim os que só leem os livros clássicos, sob a alegação, justa a muitos respeitos, de que tudo já foi dito, em forma definitiva, pelos autores célebres do passado. É o critério frequentemente seguido pelos que realizaram longas jornadas livrescas e já estão de torna-viagem. E pode ser também simples preconceito de passadistas. Para estes, os livros novos têm um inconveniente: é que nos impedem de ler os antigos. Por esta razão, aconselhava um bibliomisoneísta: *"Quando um livro novo aparece, lede um velho"*. Em oitenta por cento dos casos, valha a verdade, a recomendação deveria ser seguida.

Miguel de Unamuno foi toda a vida um incansável ledor, um formidável devorador de livros, não obstante a sua intensa atividade intelectual como catedrático universitário e escritor público, irrequieto agitador de ideias. Escrevendo regularmente na imprensa, recebia muitas cartas de leitores que o consultavam sobre isto e aquilo, havendo também quem lhe pedisse conselhos a respeito de obras novas aparecidas em público. Uma vez, aludindo a uma destas consultas, confessou-se o menos indicado para dar informações bibliográficas, porque nunca se achava em dia com as novidades literárias. Em todo o caso dizia: *"E posto que haja quem me peça conselho a tal respeito, darei um, e é que leia Platão e depois volte a dirigir-me a pergunta"*.

Resposta maliciosa e sábia. Resposta muito a propósito para quem encontre dificuldade em escolher bons autores, aqueles que verdadeiramente merecem ser lidos e relidos, na imensa bibliografia do passado e do presente. Leem-se livros e livros, centenas, milhares de livros. Livros bons, medíocres e maus. E a verdade é que só deveríamos ler os ótimos. E quantos ledores, exigentes ledores que sabem selecionar os autores com fino tato, não leram ainda Platão? Sim, há muitíssimas pessoas cultas, já no regresso de grandes viagens de circunavegação pelos livros, que creem ter conhecido o melhor e no entanto não encontraram Platão no caminho. Se o encontrassem, que grande festa não celebrariam!

O Padre Sertillanges, nos conselhos que ministra sobre a leitura, em *A vida intelectual*, observa que as obras de primeira mão, únicas que deveríamos ler, são pouco numerosas em razão de serem raras as descobertas do pensamento. *"Os livros repetem-se, diluem-se, ou então contradizem-se, o que é outra maneira de se repetirem* ", diz o pensador católico, cujo critério nesta matéria é o do *nihil novi e do parca, sed bona.* E mais adiante acrescenta: *"A maior parte dos escritores são apenas editores; é já alguma coisa"*.

Qualquer que seja o nosso, andaremos no certo se lermos sempre o que nos apraz, se usarmos a leitura na sua mais nobre forma, como um luxo espiritual que dilata e enriquece as nossas íntimas experiências.

CAPÍTULO IV

A leitura ajuda a viver

A leitura como prazer. Lista de W. Somerset Maugham: livros que se devem ler por gosto. Literatura e arte. O critério da legibilidade e a questão do gosto.

O romancista inglês W. Somerset Maugham divide os leitores de livros em três grupos principais: os que leem para se instruir, os que na leitura buscam unicamente o prazer e, por último, os que preferem ler um catálogo de artigos comerciais do que uma boa obra de imaginação ou de poesia.

A simpatia de Somerset Maugham vai naturalmente, como ficcionista que é, para os que encontram no livro, acima de tudo, uma fonte de prazer. E, pensando naqueles que acham distração na leitura, mas leem pouco ou raramente porque contam com exíguos lazeres e não sabem como orientar-se no *mare magnum* dos livros antigos e novos, escreveu o celebrado romancista alguns artigos com o fito de os guiar e encorajar. Esses artigos formam o volume intitulado *Books and You* (Os Livros e Você) aparecido nos Estados Unidos e do qual se ocupam os *reviewers* norte-americanos.

Referindo-se aos livros que se podem ler por puro prazer e não devem deixar de ser lidos sem prejuízo da cultura do espírito, Maugham apresentou uma lista tríplice, de obras norte-americanas e inglesas, assim como europeias de outros idiomas que não o inglês. Não é grande a lista. As obras mencionadas chegam a sessenta e cinco, representando cerca de cinquenta autores.

A lista de narradores ingleses é encabeçada por Daniel Defoe, o primeiro entre os primeiros numa literatura em que é tão abundante o gênio da narração. Mas a obra que aí o representa não é *Robinson Crusoe,* obra-prima imarcescível, traduzida em múltiplos idiomas e hoje tão popular como na época em que foi escrita. Defoe entra na lista com *Moll Flanders,* narrativa tão apaixonante como *Robinson* e que muitos preferem a este. A seguir, figuram *Swift com Gulliver* e Fielding com o *Tom Jones*, este um livro *"galhardo, bravo e divertido, estouvado e generoso"*. Logo após vem Sterne com o *Tristam Shandy*, que Maugham considera *"extraordinariamente original, engraçado e patético."*

Depois é a vez do célebre Doutor Johnson, em companhia, naturalmente, daquele que lhe assegurou a celebridade, o seu biógrafo Boswell. A *Autobiografia* do historiador Gibbon, *"breve, escrita com a peculiar elegância de quem foi mestre"*, e que possui, há um tempo, *"dignidade e humor"*, é também incluída. Dickens acha-se presente com o *David Copperfield*, e Jane Austen com *Mansfield Park,* romance "espiritual e terno, obra-prima de humor irônico e observação sutil". Não falta, nem poderia ter faltado, Samuel Butler, não o poeta burlesco desse nome, o autor seiscentista do *Hudibras*, mas o prosador oitocentista, hoje altamente cotado na bolsa de valores literários, o pensador agudo e vidente de quem disse George Bernard Shaw, falando sério: "Quando eu produzo um drama, no qual as sugestões novas, livres e penetrantes de Butler têm uma parte visível, não encontro senão música de cacaracá no que se refere a Ibsen e Nietzsche." O livro de Samuel Butler, escolhido, é o bem conhecido *The Way of All Flesh.* O crítico Hazlitt, renovador dos estudos shakespearianos, figura com *My First Acquaintance Wtth Poets,* reputado *"o mais fino ensaio em língua inglesa"*.

São mencionados ainda: Thackeray, com *A Feira das Vaidades*; George Eliot, com *Middlemarch*; Emily Brontë, com *Morro dos Ventos Uivantes;* Trollope, com *As Torres de Barchester*, e finalmente, Meredith com *O Egoísta*. Acrescentem-se várias antologias de poetas e uma coletânea de Shakespeare e está completa a lista britânica.

Como se vê, só entram na lista — e nem devia ser de outro modo — escritores de glória definitivamente assentada, isto é, escritores mortos, no mínimo, há quinze anos.

A lista de autores europeus do continente abrange de Cervantes a Proust, compreendendo Goethe, os grandes russos e, sobretudo, os grandes franceses do século passado.

A lista norte-americana abre com a autobiografia de Benjamin Franklin e arrola Hermann Melville, Edgar Poe, Hawthorne, Emerson, detendo-se em Walt Whitman, poeta máximo do Novo Mundo, que, com os versos irregulares e brancos de *Leaves of Grass*, ousados e independentes, libertou pela primeira vez a literatura norte-americana da influência europeia. É estranhamente pequena esta lista, na opinião dos críticos que dela se ocuparam, mas a verdade é que não se poderia esperar mais de um escritor inglês, inclinado por hábito mental, como a generalidade de seus patrícios, a fazer pouco da capacidade literária de coloniais incultos que se exprimem em língua de negro, como assim consideram os ianques, na antiga metrópole.

Não há surpresas na lista, salvo a respeito dos grandes clássicos. O autor de *Books and You*, fiel ao seu ponto de vista de que a leitura de livros deve ser antes de nada uma ocasião de prazer, relega a quase totalidade dos clássicos para os estudantes e os historiadores da Literatura. Excetua unicamente os que ainda hoje conseguem prender e distrair os leitores comuns, em vez de os enfadar e lhes provocar enxaquecas, o que quase sempre acontece nestes casos, pois os leitores da espécie mais comum têm sabidamente a cabecinha fraca.

Aquilo em que Maugham insiste, o pensamento que antes de qualquer outro o orienta na escolha de livros para o leitor comum, é que se deve ler por gosto. Claro que não esqueceu os livros que se leem por outros motivos, uns como preparação para exames ou como obras de fundo ou formação e outros a título de informação, mas dos quais não se extrai qualquer prazer. Se são lidos, é porque instruem e informam e o máximo que se pode almejar é que a necessidade de os ler não cause excessivo aborrecimento. São livros que se leem com resignação ou moderada curiosidade, jamais com entusiasmo.

Não foi esse o tipo de livro em que pensou Maugham. Definido seu ponto de partida, disse o romancista de Servidão Humana: *"Os livros que mencionarei não ajudarão meus leitores a conquistar um diploma nem a ganhar a vida; não lhes ensinarão como se manobra um veleiro, nem como se põe em marcha um motor; porém os ajudarão a viver mais plenamente. Esta ajuda, todavia, só será possível aos que gostem da leitura."*

O romancista tocou num ponto essencial de filosofia da arte. É quando diz que os livros — bem entendido, os livros que recreiam o espírito na recriação da vida — ajudam o homem a viver mais plenamente. Que dúvida! Para nós, ao menos, é uma ideia que nos parece irrefutável. Literatura não é Filosofia, nem Teologia, nem Ciência, nem Economia Social, nem Política: é arte de pôr em jogo a imaginação por meio de palavras. Ora a arte, nas suas variadas formas é uma das necessidades vitais do homem civilizado.

Para muitos, é tão indispensável como o ar e o pão, e os artistas nela encontram a maneira de exprimir e expandir a personalidade, enriquecendo e prolongando a própria vida.

Voltando a Somerset Maugham... Como a função da arte, na sua opinião, consiste principalmente no prazer, numa específica deleitação espiritual, a prova da excelência de qualquer livro, entendido como obra artística, deve ser a sua perfeita legibilidade.

É um critério de boa lei, mas de valor muito relativo e forçosamente individual. Há quem sinta deleite, verdadeira fruição intelectual, na leitura da *Fenomenologia do Espírito* de Hegel ou mesmo na dum Tratado de curvas e superfícies algébricas e não encontre o menor prazer nas mais amáveis criações dos poetas ou dos romancistas.

Aqui esbarramos na eterna questão do gosto, tão insolúvel como a quadratura do círculo. Neste ponto, quem não queria aventurar-se no labirinto das teorias estéticas, o melhor que deve fazer é concordar com os que simplificam estas coisas e dizer: — Gostos, cores... e livros que não se discutem.

A verdade é que se discutem, e muito, e até de mais, embora quase nunca se chegue a qualquer acordo.

CAPÍTULO V

Nossos "paraísos artificiais"

A realidade e os devaneios da imaginação. O que dizia a mãe de Flaubert. Os livros não perturbam a mente nem secam o coração. D. Quixote e os livros de cavalarias. Ler e escrever, necessidades vitais. A *alexia*. A leitura, *ce vice impuni*. Um ledor famoso: Daniel Huet. Longevidade e persistente apetite de papel impresso.

Conta-se que a mãe de Flaubert exclamou certa vez, apreensiva por ver o filho entretido sempre com a leitura:

— Meu filho, os livros estão secando teu coração!

A mãe do escritor receava que o filho esquecesse a vida, deixasse o mundo pela sua sombra e trocasse a realidade pelos devaneios da imaginação. Pensava como uma criatura vulgar. Crê o vulgo que quem muito lê corre o risco de tresler, de perder o siso. Essa crendice comum cristalizou-se no grande símbolo de D. Quixote, o homem que à força de tanto ler, tresleu, dando em doido. Foram os miríficos livros de cavalarias do Século XVI, com suas estupendas gravuras de madeira, seus ornatos floridos, suas letras góticas ou romanas, seus títulos enormemente excitantes para os leitores da época — *Los cuatro libros de Amadís de Gaula nuevamente impresos e historiados, Libro del muy esforzado caballero Palmerín de Inglaterra, hijo del rey Don Duardos, Crónica del invencible caballero Floramble de Lucea, Crónica del excelentíssimo Príncipe Don Florisel de Niquea, El caballero de la Cruz, Espejo de caballerías, Las Sergas de Esplandián, Florismarte de Hircania* e dezenas de outros do mesmo estilo — foram esses livros perturbadores na sua ingenuidade os que ensandeceram o cordato e pacato Alonso Quijano el Bueno, a quem nas suas saídas em favor dos fracos e oprimidos tratariam com escárnios e pedradas os velhacos e malandrins deste mundo.

É claro que não foram os livros, unicamente, a causa da maluquice do príncipe da cavalaria andante. A loucura, já se sabe, estava dentro dele. Os livros foram simplesmente corroborativos e, no mais, operando numa constituição particular de mitomaníaco, deram um caráter especial, em verdade sublime, ao delírio imaginativo do fidalgo manchego.

A leitura não secou o coração de Flaubert, como sua boa mamãe temia. A capacidade de entusiasmo do escritor era imensa. Imensa foi a sua fé no ideal literário, que ele realizou com rara devoção e nobreza e ao qual dedicou o sacrifício de sua vida inteira. Dir-se-á que a glória literária é uma ilusão fugaz que não valia tamanho sacrifício. E por que não? Um ideal vale outro, todos são ídolos da mente, e todos igualmente ilusórios e fugazes.

Contra a opinião, hoje muito corrente, dos que rebaixam a atividade literária ao nível das atividades comuns, erguem-se aqueles que veem na literatura, como na arte em geral, um dos caminhos que conduzem a uma vida menos triste e árida. São muito numerosos os homens que perderiam todo interesse pela vida se alguma coisa os afastasse dos "paraísos artificiais" da literatura.

Escrever é uma morfina. Ler é outra. Há homens com tal paixão por esse entorpecente, que talvez preferissem a morte a verem-se privados da leitura. Para esses, evidentemente, a *alexia*, isto é, a impossibilidade patológica de ler, será a mais temível de todas as enfermidades.

Glosando um poema de Logan Pearsall Smith, intitulado *Consolação*, Valéry Larbaud exaltou numa de suas páginas o prazer de *"ce vice impuni, la lecture"*. O poema exprime um desses pensamentos que salteiam frequentemente o espírito dos que têm o vício da leitura.

Viajando só, no Metrô, sentindo-se melancólico, o poeta procurava reconfortar-se com o pensamento das alegrias reservadas à vida humana. Nada entretanto lhe parecia digno do menor interesse: nem o vinho e nem a glória, nem o amor e nem a mesa, nem a amizade e nem a consciência da virtude. Valia a pena continuar ali até ao fim, para voltar a um mundo que nada poderia oferecer-lhe de menos cediço? Súbito, porém, o poeta pensa na leitura, na fina e sutil fruição da leitura. Era bastante, essa alegria que os anos não conseguem embotar, esse vício refinado e impune, essa egoística, serena e durável embriaguez.

É, sim, um vício refinado, que se encontra principalmente entre os letrados, entre as pessoas de exceção que leem pelo único prazer da leitura e procuram esse prazer com ardor.

Há, naturalmente, os imoderados, que exageram o vício. São os que desejariam viver várias vidas para poderem ler todos os livros que merecem ser lidos, os que almejariam morrer, como Petrarca, com um livro na mão, por efeito dum sopro suave, como uma vela que se apaga.

Um dos ledores mais famosos de que ficou memória e temos notícia foi o prelado francês Daniel Huet, que escreveu, entre outras coisas, um *Ensaio sobre a origem dos romances*, e umas *Memórias* em latim. René Peter, em *La Vie secrête de l'Académie française*, refere-se a esse voraz consumidor de papel impresso, que até quando se vestia, para não perder tempo, acompanhava a leitura feita pelo seu criado de quarto e não se consolava das horas que perdia dormindo ou comendo. Duas vezes bispo, voltou a ser simples abade, demitindo-se do episcopado, a fim de ter o tempo todo livre para ler a seu gosto. A excêntrica rainha Cristina da Suécia, virago com fumos de doutora, que abdicou do trono porque estimava mais tratar com homens de espírito do que governar uma nação militarizada, distinguia Huet com a sua amizade e chegou a convidá-lo para que a fosse visitar em Roma. O erudito prelado declinou da honra, não só porque temia os caprichos da marimacho coroada e bacharela, como por não ter a coragem de abandonar seus livros e seus estudos.

Quando era bispo e alguém o procurava, a resposta que seu servo tinha para dar era sempre a mesma: *"Monsenhor está estudando"*, o que fez dizer a um visitante despeitado: *"Por que é que nos mandaram um bispo que não terminou ainda os seus estudos?"*

Esse ledor incrível viveu noventa e um anos, solidamente vividos, sem conhecer jamais o enjoo da leitura.

Aí está um bom exemplo, entre muitíssimos outros, para tapar a boca dos que julgam a muita leitura prejudicial à saúde. É opinião, bem se vê, dos que nunca leem e que por isso caminham para a rápida petrificação das ideias.

CAPÍTULO VI

Livros para poucos e livros para muitos

Em que consiste o êxito literário? O que se pede ao autor. O escritor e o público. Diversidade de públicos. O destino da obra impressa. Na Europa e nos Estados Unidos. Como os norte-americanos lançam os livros para o grande público, único que interessa ao comerciante. Mercantilismo e publicidade. Os best sellers. Fama e dinheiro. O reverso da medalha. Autores que cortejam o grande público e autores que o desprezam. André Gide e Paul Valéry, contemptores do aplauso da multidão. Opinião de Paul Claudel sobre os leitores. É raro na França o grande escritor popular. A melhor literatura.

Há livros excelentes que pouca gente lê. Há outros, medíocres ou mesmo maus, lidos enormemente. Assuntos frívolos, nas mãos de escritores de grande talento, fulguram às vezes como gemas preciosas. Outros, brilhantíssimos, tratados por talentos medianos, só arrancam bocejos.

Em que consiste o êxito literário? Nada mais difícil do que responder a esta pergunta.

Que é que se pede principalmente a um autor? Pede-se conhecimento do coração humano, habilidade em aprofundá-lo, talento em exprimi-lo. Pede-se faculdade de comunicação, jogo feliz da fantasia, emoção de artista, senso de verdade. Pede-se ainda um *quid* pessoal, que nem sempre sabemos bem o que é. Pede-se às vezes — e só os autores geniais conseguem alcançá-lo — pede-se um *frisson nouveau,* como o que Baudelaire, por exemplo, comunicou à poesia francesa. Pede-se *arte*, em resumo de contas; *arte*, que todos creem saber o que é, mas que ninguém define com precisão.

Muito bem. O caso é que todo artista, todo escritor, todo poeta, por mais orgulhoso que seja, precisa de comunicação humana, tem de se dirigir a um público, mesmo que esse público seja de cretinos, na sua opinião. Há escritores aristocráticos que se contentam com dez leitores inteligentes. Há outros, democráticos e naturalmente charlatães, que sonham com milhões de consumidores para os seus produtos escritos. Evidentemente, a qualidade dos escritores pouco tem que ver com a quantidade dos seus leitores. O êxito literário não está necessariamente em função do valor literário.

É que há literatura para muitos e literatura para poucos, do mesmo modo que não há um só público, homogêneo, mas públicos diversos e mais ou menos numerosos, ou seletos, ou vulgares. A literatura para muitos é de natureza principalmente mercantil. A literatura para poucos só o é secundariamente, e às vezes nem isso.

Lemos, num hebdomadário literário, como se lançam nos Estados Unidos os livros destinados ao grande público. Na Europa, o comprador penetra numa livraria e acha ali à mostra o novo romance que acaba de aparecer. Provavelmente, tivera ocasião de ouvir dizer que o autor publicaria aquela obra. O cliente folheia o volume e compra-o. Talvez o leia, qualquer dia. Semana mais, semana menos, possivelmente descobrirá que o romance é verdadeiramente notável e deve ser considerado como uma obra-prima de qualidade excepcionalmente rara e alta. Será então muito lido... ou, ao contrário, muito pouco. Mas o certo é que terá leitores durante um período muito longo e, anos após o seu aparecimento, haverá ainda quem o compre e será fácil encontrá-lo à venda nas livrarias.

Na América do Norte as coisas passam-se de outra maneira. Lá, um autor escreve um livro e entrega-o ao seu editor para que o faça imprimir. Enquanto o texto se acha em composição, o editor faz logo o que é preciso para pôr o autor em contato com a opinião pública. O lançamento do livro é preparado do mesmo modo que uma luta de pugilismo ou um filme de Hollywood. Os jornais são inundados de notas e informações relativas ao escritor. Aparecem referências à sua vida, aos seus hábitos e particularidades. Seu retrato começa a sair regularmente nas gazetas e revistas, ora numa exposição, ao lado dum artista célebre, ora tomando um *cocktail*, ora remando num lago, ora batendo a máquina as suas interessantes produções literárias. Durante esse tempo, o necessário para que o autor se torne uma personagem cujos atos e fatos se impõem à atenção de toda gente, o livro foi impresso, mas não apareceu ainda. A data de sua saída é rigorosamente fixada, determinando-se o dia, a hora e o minuto em que será colocado à disposição dos compradores. Nesse momento exato, o livro aparecerá simultaneamente em algumas centenas de livrarias de Nova Iorque, Chicago, São Francisco, Los Angeles, Filadélfia e até nas cidadezinhas mais longínquas. Oito dias antes, o livro terá sido remetido aos críticos mais notórios, com a combinação de não dizerem palavra antes do dia da estreia. Em troca, na data indicada, todos os jornais conterão uma análise da obra. Perfeito. A novidade foi lançada. Alcançará êxito? Não o alcançará? Tudo depende do acaso, como no teatro. Nunca se sabe bem porque tais e tais obras conquistaram grande sucesso enquanto outras, iguais ou melhores, não logram nenhum. Se o êxito for extraordinário, o livro será classificado como um *best seller*, isto é, como um bom negócio. Publicam-se lá as listas dos *best sellers* da semana, do mês, do ano. Cada cidade tem a sua.

Na América do Norte o êxito é tudo, e o êxito tem valor financeiro, valor de venda. A fama do autor está em proporção com o dinheiro que ganha.

Em 1895, Harry Thurston Peck, escritor de grande merecimento e proprietário duma empresa editora, publicou em *The Bookman* a primeira relação das obras norte-americanas e estrangeiras mais procuradas nos últimos doze meses anteriores, de acordo com os dados recolhidos em quarenta livrarias de todo o país. Deu-lhes a designação de *best sellers*, que daí em diante se tornou uma instituição bibliográfica de crescente importância para o registro dos livros mais vendidos nos Estados Unidos. Esses *best sellers* exprimem em cifras aritméticas os êxitos mais diversos, mas na maioria dos casos, como é bem de ver, referem-se a obras sem valor propriamente literário. É certo que o livro mais editado e mais vendido, em cinquenta anos, foi naturalmente o "clássico dos clássicos", como lá e na Inglaterra chamam à Bíblia. E também é certo que entre as obras de ficção, quase invariavelmente as preferidas pelo público, figuram algumas poucas de significação intelectual, de Mark Twain, Kipling, Wells ou Upton Sinclair. Mas a poesia, em todo aquele tempo, apenas se representou por um livro do anglo-canadense Robert W. Service, e as obras de substância filosófica brilham pela ausência. Em troca, entre os *best sellers* encontram-se em grande abundância obras prosaicas, como o livro de receitas culinárias de Mary Green (*Better Meals for Less Money*, ou seja, *Melhor comida por menos dinheiro*), ou de mera charlatanice, como o de Dale Carnegie (*How to Win Friends and Influence People,* ou seja, *Como conquistar amigos e exercer influência sobre as pessoas*). Nada há que espantar. Os gostos do grande público são simples.

Agora, o reverso da medalha. A vida dum livro, infindável na Europa, é geralmente muito curta nos Estados Unidos. Os próprios *best sellers* costumam envelhecer no espaço de seis meses. Um ano, ou pouco mais, após a grande estreia do livro, terá ele uma edição popular. Centenas de milhares de exemplares serão por esta forma lançados no mercado, a um preço ínfimo.

E logo será o fim, a morte do livro. Não se encontrará então um só exemplar nas livrarias. Os editores não cuidarão de o reimprimir. Para quê? O autor já tem outra obra em via de aparecimento. Não convém fazer concorrência a si próprio.

Valor literário, perenidade da arte, tradição — nada disso tem importância, uma vez que não se trata de valores negociáveis.

A América do Norte fornece o grande tipo da literatura para muitos. Mas lá também, como na Europa, há uma literatura para poucos, de primeiríssima ordem. Lá também existem públicos diferentes, e para estes há variadas espécies de escritores.

Há os que cortejam o público e há os que afetam desprezá-lo. Antes de se imiscuir em política, André Gide proibia ao seu editor que fizesse qualquer propaganda das obras que lhe dava para publicar. Outro sutil escritor francês, grande poeta de França, Paul Valéry, considera a Literatura como *"uma combinação de ascese e de jogo"*, algo que, para trilhar o caminho da perfeição, necessita do isolamento e do desdém ao aplauso da multidão. São numerosos os escritores, os artistas, os poetas que parecem dizer: "Escrevemos, não para ser compreendidos, mas para aqueles que nos compreendem". Isto é, escrevem para os seus iguais, os iniciados. As Letras tornam-se por esta forma uma distração para uso de especialistas. A esse resultado pareciam visar certos escritores de escol na França anterior à derrocada de 1940: Valéry, Claudel, Giraudoux... Haverá uns dez anos, um escritor repórter dirigiu-se aos poetas e prosadores mais significativos da moderna literatura francesa, perguntando-lhes "por que escreviam?" Oitenta responderam ao inquérito, dos quais só quinze ousaram confessar que se dirigiam a toda gente, enquanto os outros declaravam contentar-se com a própria satisfação ou a estima de seus pares.

Arte é luxo, não há dúvida. Só assim se compreende que os mais puros poetas, como um Valéry ou um Claudel, sejam artistas de círculo fechado e reduzido; e, sem embargo, famosos em todo o mundo literário. Claudel confessou que nunca tivera muitos leitores, e não se queixava por causa disso: "Ora, disse o grande poeta cristão, *as belas coisas são unicamente destinadas a pouquíssimas pessoas. Eu escrevi durante quarenta anos, sem ter público. O mesmo se deu com Rimbaud, Mallarmé e outros."*

É raro aliás (notou-o Taine) encontrar-se na França um grande escritor popular. De ordinário (dizia ele), os populares não são grandes e os grandes não são populares.

A verdade, neste caso, deve achar-se também no meio termo. Nem a literatura para muitos, isto é, literatura vulgar, mercantil, nem a literatura para poucos, aristocrática e esnobe. A melhor é a grande literatura para todos, a de Shakespeare e Defoe, Cervantes e La Fontaine, Dickens e Balzac, Hugo e Tolstoi, Camilo e Eça de Queirós, Castro Alves e Alencar, gênios universais, largamente humanos.

CAPÍTULO VII

O livro dos livros

O homem dum só livro. A Bíblia, o "Grande Larousse do povo judeu". O estilo dos escritores ingleses e a leitura cotidiana da Bíblia. Opinião de André Maurois. A grande república americana do Norte: uma demagogia religiosa fundada na William Bryan e a intolerância religiosa. Curiosa mensagem secreta. *Cocktail* de lendas e superstições da velha Palestina. Voltaire e as Sagradas Escrituras. Valor literário do Velho Testamento. A poesia dos Evangelhos. Bibliomancia. Traduções.

É muito citado — aliás com sentido divergente, segundo o caso, — o pensamento de Santo Tomás de Aquino: *Timeo hominem unius libri* (Arreceio-me do homem dum só livro), por alusão ao homem que só conhece um livro, mas conhece-o bem, sendo por isso adversário para temer-se.

Tudo depende, em verdade, da natureza e qualidade do livro. Se esse livro for, por exemplo, a *Bíblia, os Kings, o Alcorão, o Talmude, o Livro do Caminho e da Virtude, de* Lao-Tsé, *a Suma Teológica,* do maior doutor da Igreja ou a *Crítica da Razão Pura,* de Kant, ou O *Capital*, de Marx, ou o *Curso de Filosofia Positiva*, de Augusto Comte, sem falar em tantos outros —, não há dúvida que será um temível contendor intelectual o homem que o houver meditado e assimilado perfeitamente.

Povos inteiros formaram e apuraram a sua cultura através da leitura dum só livro. Basta lembrar que a Bíblia tem sido a principal literatura assim como a religião duma parte da Europa. Lido e comentado em latim, durante séculos, esse "Grande Larousse do povo judeu", como lhe chamou não nos lembra quem, foi afinal traduzido em todas as línguas cultas modernas. Para os ingleses e alemães, essas traduções são ainda hoje o padrão máximo e o guia do bem falar.

Nas famílias protestantes, os espíritos foram modelados pela leitura cotidiana da Bíblia. Leia-se a este propósito o que diz André Maurois no seu ensaio *Pais e Filhos*. Nota o anglófilo ensaísta francês que muitos entre os melhores escritores ingleses devem seu estilo a esse contato permanente com o grande livro. E, em particular, observa: *"Se há na Inglaterra tão grande número de mulheres que escrevem naturalmente bem, é talvez porque são subtraídas, por essa leitura religiosa, à garrulice familiar, e cedo iniciadas no grande estilo."*

E que dizer então dos norte-americanos, para os quais a Bíblia representa ainda hoje o *summum* da sabedoria? Só a fé cega dum povo inteiro nos textos bíblicos poderia explicar o caso do Professor Scopes, processado, anos há, por haver lecionado aos seus alunos a teoria do evolucionismo biológico. Só numa demagogia religiosa, fundada na Bíblia, como é a grande república americana, poderia ver-se um político de grande prestígio, William Bryan, talvez o mais popular dos estadistas ianques, em seu tempo, defender o poder público contra os que o acusaram de intolerância religiosa. *"O poder, neste país, vem do povo, dizia Bryan. E se a maioria do povo estima que a evolução destrói a fé e ameaça o cristianismo, esta maioria tem o direito de exigir que o ensino da evolução seja suprimido ou pelo menos confiado unicamente ao pequeno grupo de homens de pesquisa..."* E declarava: *"A única moralidade vem da Bíblia, todas as nossas instituições, toda a nossa vida social são fundadas numa crença que nela se acha implícita. Fora dela não há base sobre a qual se torne possível edificar um ensinamento moral."*

Winston Churchill, uma das personalidades mais poderosas, complexas e enigmáticas de nosso tempo — Ministro da Marinha Inglesa, derrotado em Galípoli, na Primeira Guerra Mundial, e "Ministro da Vitória", na Segunda Conflagração, — Churchill, além da sua enérgica atividade como parlamentar ardoroso, condutor político e, mais duma vez, chefe do Governo, sempre achou tempo para se distrair com diferentes *hobbies*: a arte da pintura, o ofício de pedreiro, a Literatura e a História, a criação de gado; e ainda lhe sobravam vagares para o repouso e a meditação. Como inglês de boa cepa, o ponto de partida e o apoio de suas meditações encontram-se na Bíblia. Diz-se que a sabe inteira de cor, embora comumente não cite os seus versículos. Usou-os, todavia, pelo menos uma vez, num telegrama cifrado de guerra. Foi em dezembro de 1940. Churchill quis comunicar ao General Wavell que mandaria o que lhe fosse necessário para completar a perseguição ao exército fascista no deserto da Líbia. Mandou-lhe então um telegrama em código, dizendo apenas isto: — *"São Mateus, capítulo VII, versículo 7."* Ao que Wavell respondeu com outro telegrama, igualmente em código, no qual dizia: *"São Tiago, capítulo I, versículo 17."* Em São Mateus, c. VII, v. 7, está escrito: — *"Pedi e dar-se-vos-á; buscai, e achareis; batei, e abrir-se-vos-á."* E em São Tiago, c. I, v. 17, lê-se o seguinte: — *"Toda a dádiva em extremo excelente, e todo o dom perfeito, vem lá de cima, e desce do Pai das luzes, no qual não há mudança, nem sombra alguma de variação."*

Para os sequazes das doutrinas religiosas e morais judeu-cristãs, a Bíblia é o livro dos livros, o livro sagrado, o que contém a lei divina. Para a ciência histórica racionalista, é uma colcha de retalhos, um florilégio de escritos heterogêneos e promíscuos, diferentes quanto à origem, ao caráter e ao contexto. É um cocktail de lendas e velhas superstições da Palestina e outras partes do Oriente, preceitos religiosos, morais e higiênicos, fábulas e contos assírio-fenício-babilônicos, crônicas do povo judeu recolhidas da caprichosa tradição oral, histórias libidinosas, grosseiras, sangrentas e cruéis, poesias líricas, eróticas e cívicas, etc. etc. A cosmogonia do Velho Testamento é infantil. A moral é semibárbara.

Os comentadores e exegetas, religiosos, dos textos bíblicos fazem prodígios para explicar fatos que hoje nos chocam pelo absurdo, e justificar procedimentos de respeitáveis personagens que agora nos escandalizam e, enfim, conciliar a desconexa cronologia dos vários livros que compõem as Escrituras. Os comentários, embora muito engenhosos, fazem sorrir os racionalistas. Voltaire tinha sempre uma Bíblia no escritório. Quando lhe perguntavam a razão, dizia o grande malicioso. *"Quem sustenta um processo deve ter sempre em mão o arrazoado de seus adversários." Os Comentários sobre o sentido literal das Escrituras*, de Dom Calmet, exegeta ingênuo em grau superlativo, foram para Voltaire uma fonte inesgotável de sarcasmos.

O fato de que ainda hoje a Bíblia seja considerada o livro dos livros, entre muitos dos povos mais civilizados da Terra, é uma das provas mais eloquentes, dizem os cépticos racionalistas, de que a inteligência humana não fez o mínimo progresso, de três mil anos a esta parte!

Os racionalistas desta espécie ignoram que o que faz progredir o homem, o máximo excitante vital, a mola poderosa de todo aperfeiçoamento é o entusiasmo religioso, a fé em Deus ou na Ciência, nos mitos e ficções sociais e nos sonhos individuais. O que move os homens no esforço de ir além, sempre mais além, é a ilusão na transcendentalidade da vida.

A vida civilizada, sem dúvida, tem um sentido positivo e racional, mas sem prejuízo do seu sentido lírico e romântico, este o verdadeiramente propulsor e criador.

Para os modernistas, a Bíblia não deve ser interpretada literalmente, mas como uma floresta de símbolos mais ou menos herméticos, que pedem uma sábia decifração. Outros, porém, os protestantes fundamentalistas, aceitam sem reservas, ao pé da letra, tudo o que nela se acha escrito. Assim é que se a Bíblia conta que uma baleia engoliu Jonas vivo e o depositou em terra são e enxuto, três dias depois, deve ser verdade porque está escrito no livro sagrado.

O valor da Bíblia é principalmente literário e por esse lado representa uma antologia primorosa, apurada, decantada até a última perfeição, através de sucessivas, incontáveis transcrições, sempre e sempre melhores. Seu valor poético não sofre confrontos, especialmente no que se refere à poesia do maravilhoso cristão, à poesia dos Evangelhos, calmante sem igual para os espíritos inquietos, tristes ou agitados. No Velho Testamento acham-se poemas singelos, lutas ásperas, épicos trabalhos do homem, descrições vivas de paisagens, tudo, tudo narrado numa forma definitiva, com sábia sobriedade e, ao mesmo tempo, com um vigor e um brilho magnificentes. Justamente por isso tem sido considerada em todos os tempos como um dos textos literários básicos."[1]

Acontece ainda que a Bíblia traduzida em inglês é um modelo de prosa clássica, prosa acabada.[2] Com efeito, a prosa inglesa é considerada completamente formada desde a versão autorizada da Bíblia, em princípios do Século XVII, levada a cabo por uma comissão de bispos e teólogos. Se os ingleses leem muito mais que os outros europeus do continente e, em consequência, conhecem melhor a literatura pátria, a razão é que, ficando em casa aos domingos, se distraem principalmente com a leitura. Esta consequência da santificação puritana do domingo foi acentuada por mais de um historiador literário. Achando-se em todos os lares, lida e ouvida constantemente, ao menos uma vez por semana, pode-se imaginar a poderosa influência que a Bíblia inglesa, modelo de prosa perfeita, exerce na gente anglo-saxônica. Nos escritores a influência é das mais benéficas. Quando Pearl Buck, a romancista da velha China, conquistou o Prêmio Nobel de Literatura, um repórter do *New York Times Magazine* perguntou-lhe se as leituras chinesas haviam influído no seu estilo inglês. Respondeu a romancista: *"Sim, creio que influíram; mas penso que não tiveram tanta influência como a versão da Bíblia pelo Rei Tiago, que nosso pai leu tanta e tanta vez para nós. E a propósito, sabe que existe marcada semelhança entre os velhos escritos chineses e a nossa Bíblia?"*

Em resposta ao inquérito duma revista francesa sobre o valor da literatura feminina, a mesma romancista norte-americana, aludindo

1. "Pendant des millénaires, des hommes ont fait la chaine, génération après génération, pour composer un des plus beaux romans, le plus beau du monde peut-être, l'Ancien Testament." (G. Simenon, Arts, Lettres, Spectacles, Paris, 12-18 novembro 1958). Nota desta edição.

2. A escritora francesa Beatriz Beck contou seu primeiro encontro com André Gide, já quase octogenário. A certa altura da conversa, confessou-lhe a escritora que sofria, por conhecer mal a língua.

— O mesmo se dá comigo! exclamou Gide. Estou sempre mergulhado na gramática e no dicionário. Vede.

E mostrou-lhe; em cima de sua escrivaninha, duas gramáticas e um dicionário:

— Isto não serve absolutamente para nada, continuou Gide, o que importa é ler bons autores.

— Neste momento eu leio a Bíblia.

— Em inglês, espero? O tom *est bien mieux rendu* — Nota desta edição.

às grandes criações das romancistas anglo-saxônicas — uma George Eliot, uma Emily Brontë, uma Virgínia Wolf — dizia que para se compreender a formação de tais talentos era mister considerar que as mulheres de sua raça se familiarizam desde a infância com os maiores poetas... lendo a Bíblia.

Bem diversa é a opinião de W. Somerset Maugham. Disse ele a um jornalista norte-americano:

"Penso que nós, escritores ingleses, temos muito que aprender com os nossos colegas dos Estados Unidos, pois a prosa americana escapou à tirania da Bíblia do Rei Jaime e os escritores americanos foram menos afetados pelos velhos mestres, cujo modo de escrever faz parte da nossa cultura. Tiraram o seu estilo, talvez sem o querer, da língua viva que os cerca; e nos seus melhores momentos têm uma objetividade, uma fluência e uma vitalidade que dão ao nosso estilo mais urbano um ar de languidez."

Aludindo ao puritanismo de Julien Green, puritanismo que tem raízes na seriedade com que o romancista de *Mont Cinère* considera a existência no seu sentimento trágico da vida, — o crítico Edmond Jaloux observou que o escritor nutrira o seu espírito na leitura da Bíblia, que ele não se contentara em ler na magnífica tradução inglesa (as francesas, disse Jaloux, são quase infames)[3], mas aprendera o hebreu para melhor penetrar-lhe o sentido.

Quanto à Bíblia traduzida por Lutero (com ajuda de Melanchton), teve também influência decisiva na formação do alemão literário.

Sabe-se que os versículos bíblicos são interpretados como oráculos pelos protestantes, que frequentemente os escrutam. É uma forma de superstição a que se dá o nome de *bibliomancia*, ou adivinhação que

3. Seria justa a observação de Jaloux? Desde 1846 não se publicaram em França nada menos de seis grandes traduções da Bíblia, das quais algumas alcançaram tiragens impressionantes.

Por lembrar-se aqui uma das mais antigas, a do Padre Bouhours, jesuíta, é considerada excelente. A mais famosa é a de Port Royal, devida em parte a Lemaistre de Sacy, cuja fidelidade, diz-se, não era a sua qualidade principal, mas inigualável pela língua e o estilo.

Há uma tradução moderna, do Cônego Crampon, publicada de 1894 a 1904, Bíblia famosa, cuja novidade consiste em ser traduzida do original e não retraduzida da Vulgata latina. Teve nova edição depois da Primeira Guerra Mundial, com a tradução revista por K. Touzard e E. Levesque. Em 1952 apareceu em terceira edição, revista por J. Bonsirven a tradução da parte do Velho Testamento e novamente traduzida por A. Tricot a do Novo Testamento — Nota desta edição.

se pratica abrindo um livro ao acaso. Emil Ludwig narrou em *O Nilo*, referindo-se ao General Gordon, que o grande africanista, profundamente religioso, era um fervoroso ledor do Velho Testamento, a cujo texto pedia conselhos quando vacilava em tomar alguma importante resolução. Se hesitava em partir ou ficar, aconselhava-se com o profeta Isaías. Quando não encontrou água em Darfur — disse Ludwig — notou no segundo livro dos Reis uma passagem semelhante.

A mística neopagã do Terceiro Reich, racista e nazista, voltou-se naturalmente, na fase da agitação e propaganda, contra os seus mais poderosos adversários: os judeus e os cristãos. Um *diktat* do governo de Hitler, visando aos partidários recalcitrantes da moral judeu-cristã, foi lavrado, antes da guerra de 39, contra os Adventistas do 7º Dia, seita de escrutadores da Bíblia, que se orientam pelo texto do grande livro, e por serem pacíficos se recusavam então a cumprir os seus deveres militares para com a pátria guerreira e pagã.

O curioso é que Joe Louis, o pugilista negro norte-americano, que demoliu com um murro, numa luta de dois e meio minutos, o mito da superioridade da raça germânica, representada pelo seu contendor Schmelling, contou que, durante os treinos, lera a Bíblia, para tonificar o moral, a conselho de sua mãe.

"Isto me deu que pensar, declarou o esmurrador negro a um repórter. *Quando eu era ainda um boxeador novato, um companheiro de quarto me habituou a ler a Bíblia. Dizia o companheiro: "A Bíblia te dará a consciência, a certeza de que vencerás sempre o teu adversário." E eu creio na Bíblia"*, conclui Joe Louis.

Aí está como o epílogo da luta de Schmelling com Louis significou uma dupla humilhação para a arrogante grei nazista.

Um puro germânico, louro ariano, foi vencido fulminantemente por um negro retinto, que encontrou alento para sua estupenda vitória num livro judeu-cristão, no livro oracular em que se fundamenta a moral corrente da maior democracia do mundo.

*

Aludimos rapidamente às modernas traduções da Bíblia em inglês, alemão e francês. Não devemos omitir algumas referências, ainda que igualmente breves, às primeiras versões em espanhol, português e italiano.

Juana de Ibarbourou — sabe-o qualquer pessoa medianamente inteirada do movimento literário hispano-americano — conta-se entre as grandes vozes líricas femininas do nosso continente. Um crítico tão fino, exigente e ático, como é o escritor peruano Ventura García Calderón, mestre da moderna prosa castelhana, não hesitou em reconhecer-lhe gênio e em qualificá-la como a maior escritora da América. Isto quando se referiu num artigo às *Estampas de la* Bíb*lia*, publicadas pela poetisa uruguaia, que seus compatriotas já haviam coroado com o majestoso apelativo de "Juana de America".

Dizia Ventura Garcia Calderón que nenhuma leitura lhe parecia comparável em castelhano à tradução da Bíblia por Cipriano de Valera, que os protestantes têm difundido no mundo de fala espanhola em fabulosa quantidade de exemplares. Precisamente nesta tradução, acrescentava o escritor peruano, encontrara Juana de Ibarbourou, tal como o admirado estilista espanhol Gabriel Miró, seu melhor clima e sua pureza de linguagem.

Tão boa assim a tradução de Cipriano de Valera? Não é difícil crê-lo. A Bíblia tem famosíssimas traduções em diferentes idiomas europeus, e quase todas feitas em épocas áureas das letras do velho mundo. Marcelino Menéndez y Pelayo, na sua *História de los heterodoxos españoles*, refere-se longamente a Valera, monge apóstata que se bandeou para o campo da Reforma e, temeroso dos rigores da Inquisição, buscou refúgio em terras protestantes. Sua tradução da Bíblia é de 1602, e, segundo deixou dito, teria empregado vinte anos em prepará-la. Menéndez y Pelayo não o crê, e acha que na realidade seu trabalho se limitou a tomar a Bíblia de outro tradutor espanhol também herético, Casiodoro de Reina, impressa anteriormente, e a reimprimi-la com emendas e notas *que ni quitan ni ponen mucho.* Reconhece todavia que escrevia com *donaire y frescura*, o que não era de admirar no melhor período da língua castelhana, e afinal não nega que, em linhas gerais, melhorou o trabalho de seu predecessor, admitindo mesmo que a sua Bíblia, considerada como texto de língua deve ter entre os Espanhóis a mesma autoridade que a de Diodati entre os italianos.

Esse Diodati (Giovanni) ganhou fama com a sua versão da Bíblia ao italiano, estimada como das melhores que já produziu o protestantismo. Tendo-a publicado em 1603, trasladou-a tempos depois para o francês, porém com pouco êxito.

O editor italiano Rizzoli (Milão-Roma) empreendeu a publicação da Bíblia Sagrada (na vulgata de Sixto V e de Clemente VIII) realizada com um aparato gráfico que tem poucos precedentes e ilustrada por cento e cinco estampas de Salvador Dali. A obra compõe-se de cinco volumes de grande formato, em três edições infolio numeradas: uma primeira edição de 99 exemplares *ad personam*, com uma estampa original de Dali; uma segunda edição "grande luxo" de 199 exemplares, em tudo semelhante à edição *ad personam;* uma terceira edição "luxo" em papel expressamente fabricado. A *Bíblia Sagrada* de Rizzoli coloca-se entre os documentos mais altos da bibliografia moderna, entre as obras mais preciosas do mercado livreiro.

Junto do espanhol Cipriano de Valera deve colocar-se o português João Ferreira de Almeida, presbítero secular que emigrou para a Holanda, e ali abraçou o calvinismo. Foi o autor da primeira versão regular portuguesa do Novo Testamento, impressa em Amsterdã, 1681, e traduziu também o Antigo Testamento sobre original hebraico, confrontando-o com o da edição castelhana de 1602, e o da holandesa de 1618. Na opinião do erudito Antônio Ribeiro dos Santos, a tradução era boa, trabalhada sobre o texto grego e discordante da Vulgata, se bem que a interpretação é sempre cristã e católica. Segundo Teofilo Braga, as primeiras edições da tradução de Almeida estão eivadas de formas plebeias que a tornam um bom monumento do vernáculo popular do Século XVII.

A versão de Almeida é a mais divulgada em todas as partes onde se fala o português, muito mais que a do Padre Antônio Pereira de Figueiredo, também difundida em quantidades enormes pelas sociedades protestantes propagadoras da Bíblia. Esta última versão, ao contrário daquela, é feita sobre a Vulgata latina, e numa língua excelente, saborosíssima, apreciada com razão pelos gulosos do vernáculo setecentista, em cujo número me incluo.

Entre as primeiras leituras que fiz, leitor precoce, ávido sobretudo de obras de imaginação, conta-se uma História Sagrada em versão resumida, ornada de figuras, para uso das escolas católicas. O autoritário e zangado Jeová de longas barbas (que obviamente lembravam as de meu pai) causava-me forte impressão, e do fundo do coração eu aprovava a sua severidade paternal na distribuição de ralhos; prêmios e castigos. Achava-me ainda naquele clima de vaga religiosidade própria da infância. Depois, já com as entranhas lavadas de todo misticismo, li a Bíblia integral, a do Padre Antônio Pereira de Figueiredo, que os metodistas distribuíam no Brasil. Reli-a em diferentes ocasiões. O Velho Testamento, tão humano, demasiado humano (diria Nietzsche), cativava-me acima de tudo. Não que eu buscasse qualquer viático religioso ou moral na velha rapsódia judaica. Buscava histórias, poesia, ficção. E nunca encontrei nada melhor. Nem nas *Mil e uma noites*. Mas grande parte do encanto, assim o creio, procedia da língua casta e elegante do grande escriturário Padre Pereira de Figueiredo, inimigo carnal dos jesuítas, "refinado herege, como quase todos os oratorianos", dizia Alexandre Herculano, que aprendera a soletrar letra redonda na sua versão bíblica, e de quem fora depois discípulo.

CAPÍTULO VIII

Doze livros, doze épocas

Obras que fizeram épocas — *epoch making* — no pensamento ocidental. A lista de E. H. Blakeley: livros cuja influência mudou o curso dos acontecimentos humanos. Platão, Aristóteles, Virgílio, Santo Agostinho, Santo Tomás de Aquino, Copérnico, Calvino, Locke, Kant, Rousseau, Marx, Darwin.

Um erudito inglês especialista em livros clássicos, Edward H. Blakeley, diplomado por Cambridge, publicou numa folha londrina uma lista de doze livros de capital importância no pensamento ocidental, doze obras que fizeram época, no mais lato sentido, isto é, que assinalaram o princípio de novas eras e cuja influência mudou o curso dos acontecimentos humanos.

Compreende-se bem o que pode haver de sugestivo na compilação de listas como essa. Vê-se logo, porém, que é tarefa dificultosíssima, ao alcance de raros espíritos. Para tanto, não basta o mais largo trato com a literatura universal, mas o profundo conhecimento da história do pensamento humano.

A lista de Edward H. Blakeley é inegavelmente escolhida e tem a virtude de suscitar a meditação sobre o assunto. São estas as doze obras máximas, que a seu ver marcaram doze épocas da nossa civilização vincadamente literária e acentuadamente livresca:

— *A República de Platão;*
— *A Política de Aristóteles;*
— *Eneida* de Virgílio;
— *A Cidade de Deus* de Santo Agostinho;
— *Suma* de Santo Tomás de Aquino;
— De *Revolutionibus Orbium Coelestium* de Copérnico;
—A *Instituição Cristã* de Calvino;
— *Ensaio sobre o entendimento humano* de Locke;
— *Crítica da Razão Pura* de Kant;
— *Contrato Social* de Rousseau;
— *O Capital* de Marx;
— *A Origem das Espécies* de Darwin.

Em face desta lista, cada qual poderá entregar-se ao incitante passatempo de reflexionar sobre o seu valor, para aceitá-la ou contestá-la, no todo ou em parte. Será muito difícil, entretanto, substituir para melhor a maior parte dos grandíssimos livros que nela figuram a justo título. A começar do de Platão, primeiro da lista.

Se Platão, aristocrata intelectual, sonhava com uma república comunista, dirigida por um escol de nível mental superior, Aristóteles, desiludido da democracia, pensava numa forma de governo senhoril, esclarecida, exercitada pelos melhores. Sua filosofia política era severamente aristocrática, rigorosamente conservadora, temente de reformas utópicas e inimiga de radicalismos perigosos. O livro deste lídimo filósofo da extrema-direita (como diríamos hoje), o segundo da lista de Blakeley, é inamovível e insubstituível. Marcou uma época e ainda hoje é atualíssima a sabedoria que se extrai de sua leitura, e isto porque o homem político de nossos dias não difere essencialmente do *zoon politikon* de há dois mil anos.

Pelo que respeita à Eneida, o próprio autor da lista admite a sua exclusão e até indica como substituto de Virgílio o pai da Economia Política, Adam Smith, autor da *Investigação da Natureza e Causas da Riqueza das Nações*, a cujos ensinamentos ficou a Inglaterra a dever boa parte da estupenda prosperidade que alcançou no século da revolução industrial, do liberalismo e do capitalismo.

As épocas mais gloriosas do pensamento católico estão muito bem representadas pela *Cidade de Deus*, que serviu de modelo às tentativas do Sacro Império Romano e obra culminante do pensador mais alto na história da filosofia cristã, e pela *Suma* do grande Aquinatense, expressão acabada e perfeita da doutrina da Igreja do Ocidente.

O livro de Copérnico, no qual o humilde astrônomo polaco demonstrou o duplo movimento dos planetas sobre si mesmos e à volta do sol, livro considerado tolo por Lutero, porque contradizia a Bíblia, e lançado como herético pela Igreja Romana no *Index Librorum Prohibitorum*, de onde só foi retirado em 1835, esse livro merece como poucos o epíteto de *epoch making,* em razão da extraordinária revolução científica por ele ocasionada.

Não menos extraordinária, no campo das ideias e dos costumes, foi a revolução, a um tempo religiosa e cívica, produzida pelo livro de Calvino, um dos chefes da Reforma e oráculo do puritanismo protestante.

No *Ensaio sobre o entendimento humano* de Locke é costume assinalar-se o ponto de partida do empirismo característico da filosofia inglesa. Escrito na linguagem de toda a gente, sem obscuridades, foi livro extraordinariamente lido pelas classes cultivadas da época, que nele viam a essência daquele senso comum tão prezado pelos ingleses. A filosofia de Locke é considerada como uma interpretação metafísica e psicológica do individualismo britânico, fonte principal do liberalismo do século dezenove.

Kant figura na lista com a *Crítica da Razão Pura*, obra fundamental da filosofia moderna e assinaladora duma época, pois contém o principal sistema de coordenadas mentais do passado século. O mesmo poderá dizer-se do *Contrato Social* de Rousseau, de O Capital de Marx e da *Origem das Espécies* de Darwin. Sem algum conhecimento do que encerram esses livros é impossível discernir o que oferecer de mais característico o pensamento contemporâneo.

Devemos lembrar que o autor da lista limitou seu exame e escolha ao mundo ocidental e não incluiu a Bíblia porque esta não é um livro, mas uma coletânea de obras diversas.

Não foram estes, é claro, os únicos grandes livros que fizeram época. Outras listas, maiores, podem também organizar-se. A literatura — esta é uma conclusão gratíssima a quantos a estimam — representa uma força criadora e renovadora de valores morais cujo papel é essencial ao mecanismo das transformações das sociedades civilizadas. Para prová-lo, se fosse preciso, bastava lembrar que um livrinho, o *Contrato Social* de Rousseau, sofístico e apaixonante, desencadeou mais tormentas e catástrofes sobre a civilização ocidental que muitas guerras — furiosos conflitos de religião ou desvairadas lutas de conquista e domínio.

CAPÍTULO IX

Ler e escrever

O talento literário, o prazer de ler e o gosto de escrever. Pessoas de gosto literário que nunca escrevem. Escritores que começaram tarde: o Padre Benito Feijóo, George Eliot, Sherwood Anderson, Joseph Conrad. Ainda quando a vida física declina, a espiritual pode continuar em ascensão. A longevidade nos grandes escritores. A vida intelectual: macrobiótica. O tinteiro, fonte de juvência. Evitemos o automatismo mental. Viver para ver; ver para descrever.

O prazer de ler e o de escrever coexistem amiudadas vezes nas pessoas em que se encontra o talento literário. Mas há pessoas cultas e de inegável gosto para as letras, apaixonadas da leitura, que no entanto jamais escrevem. E não raro acontece que após anos de leituras intensas, estes letrados, que satisfaziam plenamente o espírito com o prazer passivo de ler, acabam sentindo também a necessidade de escrever, o desejo de se comunicarem por esta forma com outros espíritos. Quando lhes entra esse desejo, já passaram dos trinta, ou mesmo dos quarenta.

A maior parte vacila. Escrever é tão difícil para quem não tem a prática! Ideias não faltam, mas a expressão literária do pensamento requer um talento especial de que muitos se sentem privados. A arte de escrever, como toda arte, exige longo aprendizado, pede uma técnica.

O caso é para desanimar aqueles que sentem um tanto tardiamente a vontade de escrever. Assim pensa a maioria deles. E por isso, ou por timidez e falta de confiança nos próprios dons, ou pelo pudor de publicar, ou mais frequentemente por preguiça, pois a leitura é um doce prazer de indolente, ao passo que o escrever significa às vezes penoso esforço, por isto ou por aquilo desistem de entrar para o número dos homens de letras.

Outros porém não hesitam em começar mesmo tarde, tão veementemente se declara neles o desejo de escrever, que em muitos homens é realmente uma necessidade.

Não são raros, como se sabe, os exemplos de escritores que iniciaram tarde uma carreira gloriosa. Há exemplares numerosos e ilustríssimos.

O Padre Benito Jerónimo Feijóo, ensaísta espanhol do Século XVIII, *assombroso ejemplo de la palabra humana* (estamos recordando as palavras entusiásticas que Gregório Marañón lhe consagrou num magnífico estudo), era já quinquagenário, quando assumiu entre os seus patrícios a empreitada de agitar ideias novas: *"era su edad la misma de Don Quijote, cuando, com el espíritu iluminado como el del inmortal manchego, salió desde su celda a deshacer entuertos por los campos de España, vestido de su hábito, que le servia de yelmo contra las pedradas y los palos de los eternos malandrines y follones de la ignorancia y de la estupidez."*

A romancista George Eliot, que figura entre os quatro ou cinco maiores nomes de ficcionistas ingleses do século passado, tinha trinta e cinco quando principiou a escrever a primeira de suas grandes obras. Renunciando à vida ativa, um dos iniciadores do romance psicanalítico, o norte-americano Sherwood Anderson, autodidata de origem humilde, publicou seu romance de estreia aos quarenta anos, na mesma idade em que Joseph Conrad surgiu na literatura de língua inglesa. A proeza realizada por Conrad não tem igual, talvez, em nenhuma outra literatura. Polaco de sangue e de nascimento, descendente de aristocratas, Theodor Josef Konrad Korzeniowski (o futuro romancista) lia às ocultas os volumes de aventura marítimas narradas pelo Capitão Marryat e Fenimore Cooper, que deslumbravam a sua adolescência apaixonada e meditativa. Um dia, com assombro e indignação de seus maiores, confessou que admirava com entusiasmo a vida marítima e também ele queria ser marinheiro. Dito e feito. Na primeira ocasião, deixou a Polônia e não tardou em realizar a sua ambição de se tornar um marujo completo sobre o rubro pavilhão da marinha mercante britânica. Quando tomou da pena para escrever as narrativas que lhe dariam fama, não o fez para imitar os comuns literatos nas suas criações favoritas, mas pela necessidade de reanimar suas próprias recordações. Inigualável proeza foi ter aprendido a falar e a escrever como artista numa língua inteiramente estranha para ele e sobretudo para os de sua nação. Cinco anos consumiu Conrad a escrever o manuscrito de *Almayer's Folly*, a primeira obra que publicou. A um admirador que por este motivo o comparara a Flaubert, respondeu Conrad, já no fim de sua carreira: — *"Você me vexa com o manto de Flaubert, manto que é uma veste ominosa, se deitada sobre os ombros de um homem. Há, entretanto, um ponto em que me assemelho a esse grande homem: nos desesperados, laboriosos e pesados esforços ao escrever linha por linha de minhas obras, nos dias de luta a unha e dentes contra um demônio mudo."*

Tanto Eliot, como Sherwood Anderson, como Conrad (por lembrarmos só estes nomes), escreveram muito, escreveram até tarde. A madureza não parece contraditória à boa produção ou criação intelectual. Ao invés disso, é-lhes favorável. O gosto refina-se com a idade. Como os frutos da natureza, os do intelecto devem estar perfeitamente maduros para se apresentarem em boas condições de consumo. Ainda que a vida física entre em declínio, a tônica da vida espiritual pode continuar em ascensão.

E parece até que a atividade intelectual é favorável à prolongação da existência. Lembrando-se, entre outros, de Anatole France e Clemenceau, dois macróbios singularmente lúcidos e ferazes até depois dos oitenta anos — Léon Daudet, médico, romancista, grande jornalista, septuagenário operosíssimo, via motivos para afirmar que o tinteiro é a fonte de juvência dos belos espíritos. Sim, sim, a longevidade de tantos escritores permite admitir que a arte de escrever é uma macrobiótica, uma arte de prolongar a vida. Por isso o grande escritor, em regra, tem cara de limão chupado.

Começar a escrever tarde nada tem de inconveniente. Devia até ser a regra geral. Pelo menos para aqueles produtos em se pede a união da arte e da inteligência amadurecida, próprios a serem apreciados pelos que amam as obras que alcançaram pureza da forma, a beleza que jamais cansa e jamais sacia. Mais que a precocidade, quer-se a longevidade literária, para que os escritores menos felizes possam ter alguma oportunidade de escrever ao menos uma obra que fique... Essa obra-prima, por todos desejada, esse acontecimento fortuito e raro, tanto pode ser a primeira obra que se escreve, como a última, ou qualquer outra, e tanto pode ser escrita aos vinte anos como aos setenta.

Todo o tempo é tempo para que o homem se oriente por novos caminhos, ou assente a vida mais em acordo com os seus talentos e inclinações, se ainda não o fez. O homem ser civilizado é, até certo ponto o construtor de seu destino. Sua natureza lhe permite mudar, em tempo relativamente curto, hábitos e modos de viver; o contrário justamente do que acontece com o animal de costumes, o irracional.

Exemplo, muito mais expressivo que qualquer outro, de romancista ocasional e tardio foi o do general italiano Angelo Gatti, conhecido na sua terra como escritor e historiador de assuntos militares. Inopinadamente, aos cinquenta e cinco anos de idade, escreveu um romance, o primeiro saído de sua pena: Ilia e Alberto, uma obra-prima, na opinião de muitos críticos. O caso é que o General Gatti contraíra matrimônio aos quarenta e quatro anos de idade. (Por aí se vê que também nunca é tarde para o casamento, para um feliz casamento, como foi o de Gatti). O general adorava a esposa. Dez anos depois perdeu-a. O romance teve essa origem: foi o desabafo sentimental duma profunda paixão amorosa, truncada *ex-abrupto* pela crueldade da morte. *"Se sofres faze da tua dor um poema"*, aconselhava o Poeta. Gatti fez um romance, o poema da sua dor, uma obra-prima.

Não, nunca é tarde para fazermos alguma coisa nova e fazê-la bem. Sempre é tempo de mudarmos de hábitos, de gostos, de atividades, de amigos, de amores, de alimentação, de paisagens. A terrível preguiça mental é que leva os homens ao automatismo intelectual, à mecanização dos atos, à cristalização dos gostos e dos hábitos, à petrificação da alma.

"Ou renovar-se ou morrer", dizia a fórmula muitas vezes lembrada de D'Annunzio. Outro poeta, o espanhol Antônio Machado, achou melhor esta outra: *"Viver para ver!* "

É a que convém a todos os platônicos amigos de ver. Estes amigos de ver são também, modernamente, grandes amigos de ler, ou de escrever, que ambas as coisas são como o direito e o avesso duma só amizade. E é preciso que esta amizade se torne alucinante para que possamos compreender o aparente paradoxo de Mallarmé ao referir-se à sua exaltada paixão de bibliófilo: *"Tudo o que existe é feito para acabar em livro."*

Viver para ver... Ou ler, que é uma forma de viver o que os outros viram ou sentiram... Ver para escrever ou descrever...

A vida como paisagem.

CAPÍTULO X

Bibliófilos, bibliômanos e bibliopiratas

A autêntica bibliofilia e a mania colecionadora. A paixão das obras antigas, raras ou caras. O amor às belas encadernações. Bibliotecas ou bibliótafos? *A libido possidendi.* As "onze mil virgens" do Cardeal da Cunha. Sêneca e a "moda do livro pelo livro". Zombarias de Luciano e ironias de La Bruyère. Na Idade Média e na Renascença. Bibliotecas e bibliófilos muçulmanos. *O Philobiblion.* Petrarca, o "pai da bibliofilia moderna". Grolier. O "Roxburgh Club". O "Napoleão do comércio de livros antigos". O amigo dos livros alheios: o bibliopirata e o biblioclepta. D. Pedro II, bibliopirata? O rapto dum Ryberyrolles. Cuidado com os colecionadores! O caso Libri.

Quando se diz que alguém é *amigo dos livros,* faz-se em três palavras um elogio que classifica no escol intelectual a pessoa elogiada.

É de tal modo considerada nobre e simpática a amizade aos livros, que mesmo quando esta se transforma em paixão, em mania ou latria, ou até em vício, ainda assim é julgada com benevolência pelos que são capazes de compreendê-la.

Jules Janin, escritor e bibliófilo do século passado, conta em *L 'Amour des Livres*, esta anedota:

Um dia, achando-se o Rei Luís XIII a palestrar no seu quarto com o chanceler Séguier, chefe supremo da justiça, o diálogo orientou-se para a venalidade dos juízes.

— Senhor chanceler, gracejou o rei, porque que preço venderíeis a justiça?

— Oh! Sire, por preço nenhum... Isto é, por um belo livro, não o garanto...

É preciso acrescentar, diz Janin, que a biblioteca do chanceler de Luis XIII era uma dessas maravilhas que bastam para dar celebridade a um homem.

Há com efeito bibliotecas particulares que dão renome aos seus proprietários, homens que seriam perfeitamente desconhecidos sem os seus livros. Mas nem sempre estes possuidores de belas livrarias são letrados autênticos. Muito amiúde não passam de colecionadores mais ou menos maníacos. Há os autênticos bibliófilos, os que amam o livro em razão do seu valor intrínseco, medular. O bibliômano junta livros pelo prazer de juntar, preocupado unicamente com a qualidade ou a raridade dos exemplares que adquire. Há os que só colecionam clássicos, outros só obras antigas, outros só história, ou só memórias, diários e epistolários, ou só viagens e explorações, etc. Alguns, entre os portugueses e brasileiros, só querem Camões e Camilo. Aqui, são numerosas as coleções "Brasilianas", não sendo raras as de muito valor. A bibliomania na sua manifestação mais aguda é a que impele a colecionar unicamente livros raros, ou caros, singulares ou extravagantes, que dificilmente se encontra à venda. Pouco importam as grandes obras clássicas, as mais autênticas obras-primas, as boas obras de instrução ou distração. É uma mania, como a de colecionar selos ou autógrafos de celebridades do dia, se bem que mais amável e simpática. O prazer está em possuir aquelas obras cuja aquisição seja difícil ou demasiado custosa, ao alcance de poucos, sendo indiferente que se trate de um Manual de Cozinha ou da Arte de bem cavalgar, de um Tratado de Esgrima ou de Heráldica, de um Chave dos Sonhos ou de um Secretário dos Amantes.

Para alguns outros o interesse consiste principalmente na pompa das encadernações. E quantos livros não são comprados unicamente pela invulgaridade do frontispício ou por causa duma vinheta! Compreende-se, por isto, que os possuidores de belos livros nem sempre sejam homens de letras ou de ciência. Às vezes, não passam de colecionadores que os conservam em ricas estantes, não para serem lidos, como distração, estímulo ou refrigério do espírito, mas para serem contemplados ciosamente no recesso dos bibliótafos, ou quando muito para serem apresentados com alarde à admiração invejosa dos amigos atacados da mesma mania. O móbil desta espécie de amigos do livro nem sempre é, bem se vê, a *libido sciendi,* o apetite de conhecimento mas a *libido possidendi*, o apetite de possuir, de entesourar. Um maníaco desta espécie, português, o Cardeal da Cunha (conta Oliveira Martins, História de Portugal) tinha uma ostentosa livraria de 11.000 volumes, a que alguns chamavam "as onze mil virgens".

Esta espécie livresca, o mesmo que as outras, é velha como o livro, e, desde a Antiguidade, os letrados pobres têm tratado com acrimônia os ricaços que por simples ostentação juntam livros raros ou suntuosos nas suas bibliotecas puramente decorativas.

No tempo de Sêneca, que via na moda do livro pelo livro um sintoma de corrupção social, as bibliotecas particulares se multiplicavam, instaladas em salas de estilo asiático, com as estantes incrustadas de marfim e metais preciosos. Milhares de copistas os — "impressores" da época — tornavam os manuscritos acessíveis até às classes menos favorecidas. O bibliômano do tempo dos Césares costumava dissipar sua riqueza em livros. Vai daí, o literato impecunioso alvejava-o com chufas e zombarias. Entre outros, o céptico Luciano escarnecia assim dum bibliófilo de seu tempo:

"Tu tens um livro na mão e o lês constantemente, mas não compreendes patavina: pareces o burro que sacode as orelhas quando ouve a lira. Se a posse dos livros bastasse para fazer sábio àquele que os possui, ela seria inestimável; se o saber se vendesse no mercado, pertenceria exclusivamente a vós outros, ricos."

Indignado com o egoísmo do feliz possuidor de belas obras que, incapaz de apreciá-las proveitosamente, também não as facilitava a quem as poderia ler com fruto, censurava-o por esta forma:

"És como o cão que, deitado na estrebaria e não podendo comer a cevada, não permite que o cavalo a coma..."

La Bruyère, em *Les Caractères,* capítulo "De la mode", ironiza os maníacos colecionadores que enchem a casa de livros, bem encadernados em marroquim, *dorés sur tranche*, ornados *de filets d'or,* exibidos às visitas, com vaidade ostentatória. E para mostrar que têm a casa bem cheia, alguns desses maníacos, que nunca leem, arranjam estantes de mentira com fileiras de livros pintadas, que enganam a vista. Logo à entrada o visitante sente-se desvanecer com o cheiro forte do couro das encadernações. Aquilo não é uma biblioteca, é um curtume.

Na Idade Média, o cristianismo destruiu as bibliotecas pagãs. Os livros e com eles a cultura refugiaram-se nos mosteiros. A bibliofilia desapareceu por espaço de vários séculos, só reaparecendo, na Renascença, com a difusão do papel e a quase extinção dos livros em pergaminho.

Isto para a Europa cristã. Há oitocentos anos, entretanto, o professor negro Ahmed Baba, da Universidade de Timboctu, achando-se à espera de sua execução, lamentava-se de que não vivera o bastante para juntar tantos livros quanto alguns de seus amigos possuíam. Sua biblioteca contava no entanto 1.600 volumes, o que indicava elevada atividade intelectual, notável na região negra em que tinha lugar, e sobretudo numa época em que muitos povos europeus se achavam ainda em grande atraso.

Na Espanha muçulmana o desenvolvimento da literatura e das ciências despertou grande afeição à leitura e aos livros. Leia-se a este propósito a *História de la España musulmana* de Ángel González Palencia. Na época de Abderrahmen III, chegavam a Córdova os mestres mais sábios, estudantes de todos os países, os copistas mais hábeis e os livreiros e mercadores mais ricos. A Biblioteca real dessa cidade chegou a possuir 400.000 volumes, com um bibliotecário-chefe encarregado da catalogação e tendo a seu serviço os melhores encadernadores, iluminadores e desenhistas. Havia outras bibliotecas célebres em Córdova, algumas particulares. Era muito generalizada a bibliofilia, desenvolvida também entre as mulheres. As mulheres da classe inferior copiavam o Alcorão e os livros de orações.

Os judeus, os moçárabes, os renegados — diz Palencia — todos seguiam a corrente, chegando os eunucos a adquirir vasta instrução e até a formar bibliotecas. E, como não era para menos, existiam bibliômanos, tolos, simuladores de cultura, ao lado dos bibliófilos de boa lei.

No final da Idade Média, o nome do bispo inglês Richard de Bury se torna célebre, ligado ao da obra que compusera sob o título de *Philobiblion,* na qual contou como colecionara os seus livros, dando destarte como que um bosquejo dos métodos da bibliofilia.

É a época de Petrarca, chamado o "pai do humanismo", o "primeiro homem moderno" e também o "pai da bibliofilia moderna". Bibliófilo apaixonado na sua primeira mocidade, Petrarca comprava ou copiava tudo o que lhe caía ao alcance das mãos. Nas numerosas viagens que empreendeu, descobriu textos até então desconhecidos, de autores latinos. Seus amigos da Alemanha, França e Inglaterra remetiam-lhe quantos livros podiam.

Com a invenção da Imprensa toma incremento a bibliofilia. Na época de Aldo Manúcio principia a voga das encadernações de luxo, que passaram a ser daí em diante a marca distintiva dos verdadeiros bibliófilos. Como colecionador de encadernações de luxo, Grolier de Servières torna-se famoso e é considerado por isso, cronologicamente, o primeiro bibliófilo, na acepção moderna do termo.

A época de ouro da bibliofilia será porém o século XIX. Cresce na França, na Inglaterra, na Alemanha e em outros países a paixão colecionadora de volumes impressos no passado. O interesse despertado pela venda em leilão da coleção do duque de Roxburgh em 1812, disputada a peso de ouro pelos maiores bibliófilos ingleses do tempo, suscitou a fundação do "Roxburgh Club", o primeiro grêmio inglês de bibliófilos, que já então formam no mundo uma espécie de confraria de grã-finos, unidos pelo mesmo culto quase religioso dos livros antigos e raros. É a época das grandes vendas de coleções preciosas. Nas últimas décadas do século passado, Bernard Quaritch, alemão de nascimento, torna-se na Inglaterra e em todo o continente europeu o "Napoleão do comércio de livros antigos".

O nome de Jean Grolier, príncipe dos bibliófilos de começos do século XVI, prende-se a um período particularmente brilhante da arte francesa da encadernação. Não era um encadernador, mas um homem rico que fazia trabalhar às suas ordens hábeis artistas encadernadores. Sobre as encadernações de Grolier aparecem pela primeira vez, gravadas em letras de ouro, o seu exlibris: Jo. *Grolierii et amicorum* e a divisa: *Portio mea domine sit in terra viventium,* conhecidos de todos os bibliófilos.

Para mim e meus amigos é uma generosa divisa que alguns bibliófilos inscreveram nos seus ex-libris, à imitação de Grolier. Porém mais generosa ainda era a divisa de Schelder: *Para todos e para mim.*

Nobres e simpáticas divisas, não há dúvida. Mas quem possua livros e queira conservá-los avaliará facilmente os perigos que tais divisas cristãs encerram.

Livro emprestado é livro perdido ou livro estragado. O amigo dos livros deve recear, sobretudo, aqueles que alimentam a mesma paixão livresca. O colecionador de livros raros, preciosos ou singulares, esse então costuma ser um bibliopirata, quando não é um biblioclepta, que satisfaz o seu vício onde pode e como pode.

Famoso colecionador e não menos famoso pirata de livros foi o bibliógrafo espanhol Bartolomé José Gallardo, a quem um seu rival na mania colecionista, Estébanez Calderón, poeta de certa voga na época romântica, dirigiu um soneto que abre com uma mercurial de epítetos mordazes:

Caco, cuco, faquín, bibliopirata,
Tenaza de los libros, cauzo, púa
de papeles, aparte lo ganzúa,
Hurón, carcoma, polilleja rata...

E o mais nesse estilo, concluindo por esta forma:

y al fin te beberás, como una sopa
Llena de libros, África y Europa.

D. Pedro II, o honrado imperador brasileiro, incorreu na pecha de bibliopirata, não sabemos se com razão. D. Pedro estimava os livros e deixou uma importante biblioteca. Não era o que se pode chamar um colecionador, um bibliófilo praticante, sem com isso dizer-se que não amava os livros raros. Conta-se que, quando visitou o colégio do Caraça, pelo ano de 1881, examinou com grande curiosidade a rica biblioteca do estabelecimento, uma das melhores do Império. Viu ali uma peça que lhe teria parecido preciosa: a Crônica de Eusébio Panfílio, bispo de Cesareia, cognominado o Pai da História Eclesiástica. Tratava-se de uma obra aparecida em Veneza no ano de 1483, impressa por um alemão. Um incunábulo, portanto!

A tentação era muito grande. D. Pedro desejou-o para si e abusando das suas prerrogativas de soberano, diz-se, teria carregado com ele. Pirata de livros, o nosso Imperador? Bem podia ser e o caso não é de espantar. Um papa mesmo, um Papa! e na verdade ainda era cardeal, bifou livros em casa do erudito francês Ménage, *que ne l'a pas ménagé.* (O caso e o trocadilho correm por conta de Jules Janin, em Le *livre*).

Li essa história em uma reportagem de Marcelo Coimbra Tavares sobre o Colégio do Caraça, publicada no *Estado de Minas*, edição de 11 de junho de 1950. Onde a ouviu o repórter? Circula entre os padres daquele Colégio? Mas, como se poderia afirmar, com toda a certeza, que D. Pedro levou o precioso incunábulo?

O Padre Francisco Silva, diretor que foi do Caraça, falecido posteriormente como bispo do Maranhão, escreveu sob a abreviatura Pe. F. S., o trabalho intitulado *Caraça*: *Apontamentos históricos e notas biográficas* (Imprensa Oficial, Belo Horizonte, 1907), publicado anteriormente na Revista do Arquivo Público Mineiro. Transcreveu a descrição da visita, feita por um aluno, na qual se aludia à grande curiosidade com que o monarca manuseou algumas obras da biblioteca do velho Colégio dos padres lazaristas. Dizia exatamente: "sobremaneira o encantou a Crônica do Eusébio, de um editor alemão, impressa em Veneza no ano de 1483..." Só isso. Nenhuma referência precisa ao seu oferecimento ou a sua desaparição.

Se o Imperador o surripiou, ou o ganhou, aonde teria ido para o cimélio? * Entre os 50.000 volumes deixados pelo momonarca, os quais constituíram depois a Coleção D. Teresa Cristina, não havia incunábulos, consoante se lê no trabalho de Aurélio Lemos "D. Pedro II e os seus livros", inserto no Vol. 152 da *Revista do Instituto Histórico e Geográfico Brasileiro.*

O incunábulo a que nos referimos está assim descrito em *Le livre en Italie à travers les siécles*, por Léo Olschki, Florence, Imprimerie Junitine, 1914, p. 18:

"Eusebius Pamphilius. Chronicon a S. Hieronymo lat. versum et ab eo Mattheo Palmerio continuatum. Venetiis, Erhardus Ratdolt, idibus September (13 Sept.) 1483, in-4. Avec des initiales orn. dessinées par Bernard Moler, gr. en bois."

* O monarca não tirou o incunábulo, afirma o Padre Sarneel, bibliotecário do Colégio do Caraça, em seu livro Guia espiritual do Caraça (Belo Horizonte. Imprensa Oficial 1953, p. 139). "Recebeu-o, como presente e lembrança, das mãos do Superior do Colégio, Padre Clavelin."

Acha-se hoje na Biblioteca Nacional oriundo da Coleção Teresa Cristina, e aparece descrito no Catálogo dos Incunábulos da Biblioteca Nacional do Rio de Janeiro impresso em 1957. A dissipar qualquer dúvida, lê-se no exemplar a dedicatória:

"A Sa Mageste D. Pedro II, Empereur du Brésil, le collège du Caraça reconnaisant. 12 Avril 1881."

A história perdeu pois todo interesse. Confesso que me inclinei para a aceitação da versão do furto, muitíssimo picante que não ficava muito mal num monarca amigo dos livros e, calhando o caso, bibliopirata, como o foram muitos outros homens ilustres. Em vez disso, tornou-se banal: — "Gosta do livro, Majestade? pois leve-o, é seu!" — Nota desta edição.

Não é uma preciosidade.

Depois de descrever a edição original do *Chronicon a S. Hieronymo*, feita em Milão pelo ano de 1475, o bibliófilo J. Ch. Brunet (*Manuel du libraire...*) ajunta que a edição de Veneza é de pouco valor:

"L 'édition de Vénise, par Erhard Ratdolt, 1483, in-4, de 180 ff., a peu de valeur. "

Em fins de 1943 ter-se-ia verificado na Biblioteca Pública de Pelotas o furto duma obra preciosa, realizado em circunstâncias fora do comum, segundo vimos na revista carioca *Vamos ler*, que se referiu ao fato por esta maneira:

"Rapto de um livro. — Visitou recentemente a Biblioteca Pública de Pelotas um cidadão de nome Xx (a revista deu o nome inteiro), que pediu para consultar a preciosa obra *O Brasil Pitoresco*, de Ribeyrolles. Cinco minutos depois de estar ali o consulente desapareceu com o livro, que pesa vinte quilos e mede de comprimento um metro por noventa centímetros de largura. J. viajou no mesmo dia, por via aérea, para Porto Alegre, de onde despachou o livro por via férrea, para São Paulo, onde diz residir. O autor do rapto foi preso. Levado à polícia, confessou calmamente o delito, justificando-se que assim fizera porque precisa colher dados, pois está escrevendo um livro sobre as Missões Jesuíticas, havendo já adquirido por seiscentos cruzeiros, numa livraria carioca, uma lei em latim. Positivamente, com tão meritório trabalho, tal ladrão deve ser recompensado com um cargo de bibliotecário..."

Cuidado, muito cuidado com os bibliófilos, bibliômanos e colecionadores de livros em geral. Cuidado com os bibliopiratas em particular! E os colecionadores, esses principalmente, não são de confiança. Por isso dizem com razão os franceses: — *Tout colectionneur, tout voleur.*

Os próprios bibliotecários ou responsáveis por bibliotecas não são de toda confiança. O rapinante, às vezes, está dentro de casa. Recorde-se um caso famoso, *l'affaire Libri*. O matemático e professor francês, de origem italiana, Conde Libri-Carrucci della Sommaia, era então inspetor geral das bibliotecas de França. A cada visita que Libri fazia às bibliotecas que lhe incumbia inspecionar, verificava-se a desaparição de livros e manuscritos raros. Investigado o caso, Libri fugiu para Londres, onde o receberam como um perseguido. Isso não impediu sua condenação a dez anos de prisão. Mérimée, seu amigo, não quis crer na acusação e atacou rudemente, na *Revue des Deux Mondes*, os Juízes que haviam condenado Libri. Levado aos tribunais, Mérimée teve quinze dias de prisão e mil francos de multa. O caso provocou grande celeuma, e os inimigos de Mérimée e de Buloz, diretor da Revue, regozijaram-se com o acontecido.

CAPÍTULO XI

O encanto dos velhos livros

A paixão dos livros velhos: princípio da verdadeira bibliofilia. As primeiras edições, os *Quinhentistas,* os *Aldinos,* os clássicos *Ad usum Delphini.* Leilões de bibliotecas importantes. Repertórios e manuais bibliográficos, O bibliófilo pobre e a cupidez judaica dos livreiros de segunda mão. Adeus, pechinchas!

Da mesma maneira que se diz e é certo — que o gosto da história entra com a idade, pode também dizer-se, com igual razão, que o gosto dos livros velhos é próprio da madureza do espírito... bibliofílico. Os velhos livros, sentenciava o bibliófilo Jacob, são a última paixão do homem inteligente. Do homem inteligente e ilustrado, deve entender-se.

Dizia-nos um avezado frequentador de livrarias de segunda mão, vulgarmente chamadas sebos:

— A paixão dos livros pode começar cedo, mas não se deve dar o nome de bibliófilo senão a quem já trocou a paixão dos livros novos — das efêmeras novidades literárias pela outra, muito mais intensa, dos livros velhos. Então, sim, começa a verdadeira bibliofilia, que se corrompe em bibliomania quando a inclinação se fixa no gosto exclusivo dos livros antigos e raros, ou dos livros de luxo, ou dos livros curiosos.

E, diretamente para mim:

— Você não é ainda um bibliófilo, no rigor do termo, mas um leitor curioso, a um tempo, do *vient de paraîte* e daquela variedade de ontem que se acha na região dos livros usados. Eu, não. Eu só me interesso pelo velho, e quanto mais velho e revelho, melhor. Estou mais adiantado na paixão do livro. Que acha?

Dei-lhe razão, sem dificuldade.

A bibliofilia tem muito de esporte, praticado diversamente por pobres e ricos. Uma é a bibliofilia dos esnobes endinheirados que compram livros raros ou luxuosos, não para os ler, mas pela vã glória de os possuir. Outra é a bibliofilia dos que realmente leem com apetite e curiosidade insaciáveis e cuja ânsia de leitura estende por bem dizer a todos os livros.

A bibliofilia das pessoas ricas, a mania colecionista de livros antigos ou livros de arte encadernados luxuosamente e ornados de vinhetas desenhadas por artistas famosos, incrementou-se no século XVII, especialmente na Inglaterra e na França, quando o grande número de bibliófilos desenvolveu nesses países e em outros da Europa o comércio das edições artísticas e das obras dos séculos precedentes: os grandes escritores e as bem feitas edições de autores gregos e latinos, descrições de viagens, atlas, obras de luxo sobre história da arte e história natural, etc. Catavam-se com empenho as boas edições originais, bem autenticadas, os Quinhentistas de boa data e boa conservação, os volumes aldinos de valor cujas margens haviam sido felizmente poupadas — coisa rara — pela guilhotina dos encadernadores. Os franceses procuravam muito, por exemplo, a edição duma série de autores clássicos que o rei Luís XIV fizera imprimir, sob a direção de Bossuet e Huet, a edição *Ad usum Delphini,* para o uso de seu filho Delfim de França, na qual haviam sido suprimidas todas as passagens escabrosas.

Tornara-se então excelente negócio a venda em leilão de bibliotecas importantes e livros preciosos, cuja clientela aumentava sempre e, com ela, o preço das obras mais cobiçadas. A bibliofilia era uma das tafularias elegantes de nobreza. O mais célebre bibliófilo ou bibliômano francês daquele tempo, o Duque de La Vallière, deixava cerca de meio milhão de livros, vendidos depois de sua morte num leilão que durou 81 dias e levou a Paris colecionadores de toda a Europa, atraídos por aquele enorme acervo de papel impresso que constava de catálogos redigidos por bibliógrafos eruditos. A esta coleção nada tinha que invejar a do inglês Harley, Conde de Oxford, grande amador de incunábulos e que deixou o nome ligado a um estilo de encadernação, *o Harleyan Style.*

Frederico II da Alemanha, amigo de Voltaire, era bibliófilo. Bonaparte, que também o seria, ordenou a pilhagem metódica das bibliotecas dos países conquistados, fazendo transportar para a Biblioteca Nacional de Paris, como presa de guerra, grandes quantidades de livros.

Graças aos trabalhos de bibliógrafos do talhe de Hain, com seu *Repetorium Bibliographicum*, do padre jesuíta Diosdado Caballero, autor da erudita *De prima Typographiae hispanae oetate*, e, sobretudo, do sábio francês Jacques-Charles Brunet, com seu valiosíssimo *Manuel du Libraire et de l'Amateur du Livre,* entra a pesquisa histórica no campo da bibliofilia. Daí por diante encontra o colecionador a descrição pormenorizada das obras que lhe interessam. Acerca de cada livro raro ou de valor especial, desde os incunábulos às edições do século XVIII, acham se no *Manuel* de Brunet esclarecimentos sobre o seu destino no correr do tempo, com a indicação dos preços alcançados anteriormente em vendas públicas.

Ao bibliófilo é útil a consulta de obras como a *Enciclopédia del Libro*, coleção de manuais de bibliologia, biblioteconomia e bibliografia, editada por A. Mondadori, Milão. Para o conhecimento da bibliografia geral francesa existem numerosos manuais e repertórios, entre os quais o de Lanson, *Manuel bibliographique de la littérature française moderne*, Paris, 1921, e o de A. Tchemerzine, *Bibliographie d'éditions originales et rares d 'auteurs français des* XV°, XVI° XII°, et XVIII° *siècles*, Paris, 1934. Para a italiana impõe-se a *Bibliografia* de Giuseppe Fumagalli, Milano, 1935. Para a de língua espanhola há copiosos repertórios. Os principais são: Nicolás Antonio, *Biblioteca hispana vetus e Bibliotheca hispana nova*, Madrid, 1788; Bartolomé José Gallardo, *Ensayo de una biblioteca española de li-vros raros y curiosos*, coordenada e continuada por M. R. Zarco del Valle e J. Sancho Rayón, com o auxílio de M. Menéndez y Pelayo para os dois últimos tomos, Madrid, 1863-89; Barrera y Leirado, *Catálogo bibliográfico y biográfico del teatro antiguo español, desde sus orígenes hasta mediados del siglo* XVIII Madrid, 1860; A. Palau y Dulcet, *Manual del librero hispano-americano. Inventario bibiiográfico de la producción científica y literária de España y América Latina desde La invencion de la imprenta hasta nuestros dias*, Barcelona-Londres, 1923-1924; R. Fouché-Delbosc & L. Barrau-Dihigo, *Manuel de l'Hispanisant, tome I (Répertoires)*, New York, 1920; e Clara Louise Penney, *List of books printed before 1601 in the Library of the Hispanic Society of America*, New York, 1929. A estes repertórios gerais podem ajuntar-se muitos outros, particulares. Inte- ressam, fundamentalmente, ao conhecimento da história da tipografia na Espanha as obras de Conrad Haebler *Typographie ibérique du quinziéme siècle*, La Haye-Leipzig, 1901-1902 *Bibliografia ibérica del siglo* XV, La Haya-Leipzig, 1903-1917. Recomendam-se, também, o valioso trabalho de José Torre Revello *Orígenes de la imprenta en España y su desarrollo en América Española*, Buenos Aires, 1940, e o monumental *Manual gráfico-descriptivo del bibliófilo hispanoamericano*, em doze volumes, por Francisco Vlndel (Madrid, 1811-1930).

Em língua portuguesa temos repertórios prestimosos, como a *Biblioteca Lusitana* de Diogo Barbosa Machado, Lisboa, 1741-59, 4 vols.; o *Dicionário Bibliográfico Português*, de Inocêncio Francisco da Silva e Brito Aranha, Lisboa, 1858-1923, com os *Aditamentos* de Martinho da Fonseca, Coimbra, 1927; *o Manual bibliográfico português de livros raros, clássicos e curiosos*, de Ricardo Pinto de Matos (prefaciado por Camilo), Porto, 1878 ; a *Bibliografia das obras impressas em Portugal no século XVI* por Antônio Joaquim Anselmo, Lisboa, 1926; a obra de D. Manuel II, *Livros antigos portugueses*, Londres, 1929; a *Bibliografia Geral Portuguesa, Sé-*

culo XV, pela Academia das Ciências de Lisboa, Lisboa, 1941, e outros. Para a bibliografia brasileira temos o *Dicionário Bibliográfico* de Sacramento Blake, Rio de Janeiro, 1883-1900; a *Biblioteca Brasiliense* de J. C. Rodrigues, Rio 1907; o *Dicionário Bibliográfico* de Velho Sobrinho (interrompido no 2° volume), Rio, 1937-39, e a *Bibliografia das Bibliografias Brasileiras*, de Antônio Simões dos Reis, Rio, 1942. Como bibliografias de bibliografias, em língua inglesa, podem apontar-se *A World Bibliography of Bibliographies*, por Theodore Besterman, Londres, 1939-40, 2 vols.; *Bibliographic Index:* A *Cumulative Bibliography of Bibliographies*, Nova York, Wilson, 1939, além de outras fontes de informação menos importantes.

Falávamos também dos bibliófilos pobres. Como se arranjam eles? Sem muito dinheiro, como podem cultivar a paixão dos livros preciosos?

Na verdade, o culto que o bibliólatra pobre vota ao livro é antes de nada um culto de leitor e não de simples colecionador. O rico, fascinado pelos cimélios, faz as duas aquisições pelos catálogos dos livreiros antiquários. Não precisa sair de casa para caçar pessoalmente as peças preciosas que almeja possuir. Basta que as encomende aos caçadores especializados nessa indústria e as pague bem. E também nem sempre as adquire para ser lidas, nem em verdade, na maioria dos casos, se interessa por obras que mereçam a leitura.

O bibliófilo pobre sai para a rua em peregrinações aventurosas pelo mercadores de livros usados. Não busca livros raros e caros, mas livros baratos e curiosos, que verdadeiramente convidem à leitura.

Até há bem poucos anos, o bibliófilo pobre, saindo a curiosear pelos livro-velheiros, topava às vezes algumas obras interessantes, já pouco achadiças. Eram encontros felizes, agradáveis, alegrias positivas, que custavam pouco dinheiro. Agora, é muito difícil. Os achados pouco dispendiosos são cada dia mais caros, porque os livreiros de sebo, com judaica cupidez, fariscam logo aquilo que mais pode interessar aos amadores de alfarrábios e, em consequência, cotam bem a sebosa mercadoria.

Adeus, pechinchas!

CAPÍTULO XII

Livros curiosos, ridículos e singulares

Autores excêntricos de livros ridículos. A. Laporte e seu manual crítico e filosófico de livros raros, curiosos e singulares do século XIX. Uma série de volumes licenciosos: L'Arte de... O Ensayo de D. Bartolomé José Gallardo. Brochurinhas mofinas, pobremente tipografadas também acham quem as estime.

Valéry Larbaud referiu-se a certo bibliófilo seu patrício, residente em Genebra no fim do Segundo Império, que colecionava unicamente "livros ridículos". A coleção compunha-se de volumes de poesias publicadas por magistrados de província, tratados de metafísica inverossímeis, poemas épicos em vinte mil versos, obras engraçadas de reforma dos costumes e da vida social, livros de maníacos e dementes, tudo escolhido e classificado com pachorra pelo tal bibliômano, que com isso conquistou entre as pessoas de suas relações a reputação de homem de espírito.

Existe na bibliografia de França uma obra de Antoine Laporte, intitulada Histoire Littéraire du XIX^{0} siècle, manual crítico e filosófico dos livros raros, curiosos e singulares, aparecidos no decorrer da passada centúria.

Os livros curiosos, no sentido exato do termo, estão longe de ser sempre os melhores. Chamam-se livros curiosos ou singulares aqueles que recordam certas circunstâncias especiais, os que fundam o seu interesse no escândalo ou em motivos de puro acaso. Livro curioso será, por exemplo entre milhares de outros, *La Physiologie de la Poire* (Paris, 1832), livro insignificante por si mesmo, mas procurado pelos colecionadores em razão de ser da autoria de um tabelião provinciano, guilhotinado por haver assassinado a mulher.

Tudo o que na vida, paixão ou morte de um escritor constitui exceção, crime ou infortúnio, confere, aos olhos dos bibliômanos, um valor especial às suas obras. Livros destituídos de qualquer valor literário, totalmente desinteressantes para os profanos, despertam às vezes, por algum motivo difícil de adivinhar, a súbita curiosidade do amador de livros raros e singulares. Certas alusões políticas, as condenações ou ataques sofridos pela obra, os caprichos da sua impressão, alguma originalidade ligada ao espírito de certa época, e cem motivos mais, provocam o frêmito de interesse e alegria de possuir, que fazem a ventura do colecionador. É uma doce e voluptuosa mania, que só pode ser avaliada pelos que alimentam, com delícias, o refinado vício.

O livro de Laporte recenseia os romances do Diretório, na sua literatura erótica de boudoir, os folhetos políticos, os pastiches galantes, as memórias publicadas sob o véu de um pseudônimo ocultante de uma personalidade ilustre. Uma parte importante é a que passa em revista as obras do período romântico francês, em que brotou uma literatura ardente, febril e revolucionária. Apareciam então macabros romances ou poemas, com as capas ilustradas de desenhos lúgubres, em que se viam jovens pálidos, num cemitério, parados ante um esquife aberto, sob os raios de uma lua clorótica.

Na obra de Laporte encontra-se de tudo, os primeiros romances de Balzac ou aqueles que lhe são atribuídos; a *Chasse auftir,* poema em cinco cantos, *o Code des gens honnetes, o Code galant, os Contes bruns,* por "uma cabeça virada", *L'Art de mettre sa cravatte*. Ou ainda histórias fantasistas, como a maliciosa brochura *Comme quoi Napoléon n'a jamais existé,* ou o sujo panfleto *Les amours secrets de Louis-Philippe,* "publicado segundo os documentos dum antigo criado de quarto", ou ainda *Les forfais et turpitudes des rois et des reines de France* (1831). A série dos livros judiciários é extensa. Na lista das obras culinárias, figuravam, entre outras, a intitulada *L'Antigastronomie ou L'Homme de Ville sortant de table,* "manuscrito encontrado numa empada" (como se lia no rosto do livro) e uma alegre brochura: *La cuisiniére assiégée.*

E era também mencionada a vasta série dos volumes que trazem o título *L'Art* de... Ensinavam-se nesses volumes todas artes não escolásticas, pelos mais divertidos professores. Um prelecionava sobre *l'Art de se moucher*, poema de Grellier (1805). Outro, Marco de Saint-Hilaire, ensinava *l'Art de ne jamais déjeuner chez soi et de diner toujours chez les autres* (1837) Sem falar em *l'Art de relever sa robe, l'Art de faire l'amoure* outras artes pouco decorosas.

Quanto ao número das obras licenciosas ou obscenas, era positivamente impressionante. Freud não disse da missa a metade.

O bibliógrafo espanhol don Bartolomé José Gallardo é autor do *Ensayo de uma Biblioteca española de libros raros y curiosos,* obra formada com os apontamentos reunidos em longos anos de estudos e investigações e que começou a publicar-se em 1863, depois de sua morte, graças à coordenação dos manuscritos, realizada por Zarco del Valle, Sancho Rayón e Marcelino Menéndez y Pelayo.

Um amigo nosso tem o capricho de colecionar livros e folhetos impressos em tipografias do interior do Brasil. Só lhe interessam os que saem de prelos modestos ou imperfeitos. Os que se imprimem nas boas tipografias das grandes cidades deixam-no indiferente. E formou, assim, uma coleção curiosa em seu gênero, composta, na maioria, de pífias brochurinhas e mofinos voluminhos, pobremente ou ridiculamente tipografados.

Dos nossos prelos do interior surgem livros incríveis. Mas não é a pobreza tipográfica o que os torna extravagantes. Com tipos primitivos, feitos a mão, e um tórculo de madeira, à Gutenberg, pode-se imprimir com decoro e até alguma arte, e era assim que se imprimia nos tempos heroicos da descoberta da imprensa, e imprimia-se bem. O que nos falta nas tipografias do interior é senso tipográfico.

Depois de 1900, com a invasão das nossas tipografias pelo material chamado *art nouveau ou modern style,* oriundo das fundições alemãs e italianas, perdeu-se na tipografia brasileira a velha e sólida tradição clássica francesa e portuguesa, que tinha seus grandes padrões na Imprensa Nacional de Paris, na Imprensa Nacional de Lisboa e na Imprensa Nacional do Rio de Janeiro. Os nossos tipógrafos desaprenderam as boas normas do estilo tradicional e não chegaram a dominar o emprego do estilo novo, o de 1900, que hoje nos parece velhíssimo e até repulsivo.

O colecionador nosso amigo tem um xodó especial pelos livros e brochuras em estilo *art nouveau,* oriundo da Ditta Nebiolo, de Turim, usado canhestramente nas tipografias do interior, de mistura com velho material francês do Segundo Império. São de um mau gosto delicioso.

CAPÍTULO XIII

O verdadeiro bibliófilo

Uma novela de Charles Nodier: Franciscus Columna. A Hypnerotomachia, ou seja, Pugna de amor em sonho, de Polífilo: *Albo corvo rarior.*

O verdadeiro bibliófilo chama-se Lowrich, personagem criada pela imaginação de Charles Nodier, um dos mais amáveis e engenhosos espíritos do Romantismo francês.

Uma das novelas de Nodier, *Franciscus Columna,* é um mimo de narração, escrita para a própria recreação do narrador — bibliófilo e bibliógrafo dos mais distintos de seu tempo — e destinada ao prazer dos que alimentam a paixão dos livros. E uma novela bibliográfica, uma fantasia erudita em torno do famoso incunábulo *Hypnerotomanchia Poliphili,* ou seja, "Pugna de amor em sonho" de Polífilo, espécie de romance alegórico, atribuído ao monge dominicano Francesco Colonna (ou Columna), que, sob o criptônimo de Polífilo, descreve numa visão de sonho o reino da Arte clássica. Ornado de duzentos desenhos a traço — imagens, frisos e vinhetas, talvez da autoria de Jean Bellin — os quais compõem com os caracteres do texto um todo harmônico de grande beleza, é o livro mais importante impresso em Veneza por Aldo Manuzio e considerado por muitos especialistas da bibliologia como o mais bem acabado que já saiu de prelos tipográficos.

A personagem que diz "eu" na novela de Nodier encontra-se numa hospedaria da cidade italiana de Treviso com seu amigo o Padre Lowrich, homem sabedor de mil coisas e conversador cativante por sua imaginação viva e singular, se bem que propenso em demasia a discorrer sobre os infinitamente pequenos da biografia e da bibliografia.

— Sei aonde tencionas ir, diz-lhe o padre. Indicaram-te o livreiro Apóstolo Capoduro. Eu também vou vê-lo, mas sem esperança. Em matéria de velhos livros, já não se acha mais nada, nestes tempos bárbaros.

E ao informar-se de que o amigo deixara o norte da Itália com o fito de levar a *Hypnerotomachia de Polífilo,* que, conforme soubera, se achava em Treviso, acrescentou:

— Se ele se acha em alguma parte é uma reticência prudente, porque se trata de um livro que os velhos bibliógrafos designavam com uma frase característica: *Albo corvo rarior.* Tudo o que posso afiançar é que se esse corvo branco está em algum viveiro, como talvez aconteça, não será certamente no do Apóstolo. Julgo-me mesmo bastante seguro para poder jurar pelos manes de aldo Manúcio, o Velho, — praza a Deus conservá-lo na eterna glória! — que, se esse finório do Apóstolo conseguir fornecer-te um exemplar da *Hypnerotomachia,* com a boa data de 1499, pois a segunda edição entra quase para o rol dos livros medíocres, eu me comprometo a dá-lo a ti de presente à custa de minha própria bolsa, embora ela fique sensivelmente aliviada com esse ato de munificência.

Entraram no mesmo instante na loja do signor Apóstolo, o qual, com a pena suspensa sobre uma folha de papel, parecia absorvido em profundas meditações. Notando-lhes a presença, reconheceu com alegria a figura do seu bom amigo Lowrich:

— Foi Deus, reverendo, que vos mandou para me tirardes do maior embaraço de minha vida, disse o livreiro abraçando-o.

Explicou-lhe que a *Gazeta Literária do Adriático*, por ele publicada, corria o risco de não sair no dia seguinte por falta de seis colunazinhas de folhetim, que não havia meios de lhe saírem do cérebro. Dera-se um colapso na redação: a jovem musa que lhe escrevia os artigos de educação moral estava para dar à luz; o improvisador que devia fornecer-lhe uma cantata dum gênero novo avisara que a coisa só podia ser daí a oito dias, e o profundo especialista que tratava as questões de finanças e economia política fora preso por dívidas. A salvação era o caro padre sentar-se ali e rabiscar cinco ou seis laudas sobre qualquer assunto, mesmo que fosse alguma história publicada mais duma vez.

— Devagar, replicou o padre. Teremos tempo de tratar dos teus negócios depois que concluirmos os nossos.

Estavam ali, ele recém-chegado da Noruega e o seu amigo de Paris, com a esperança de encontrarem ocasionalmente uma boa edição princeps bem *autenticada*, um quinquecentista de boa data e boa conservação, um volume aldino de valor cujas margens os encadernadores houvessem poupado. Começariam por aí, se fosse possível. O folhetim, fácil de fazer, ficaria para depois.

— De acordo, respondeu o livreiro, tanto mais que isso não nos tomará muito tempo. Só tenho um volume digno de ser mostrado a tão insignes conhecedores... Mas é um volume... foi ele dizendo enquanto desembrulhava um infólio de bela aparência... um volume... prosseguiu em tom solene quando o retirou inteiramente do seu envoltório de papel, um volume, enfim...

Estendeu-o ao amigo, fitando nele um olhar de segurança e soberba.

Lowrich soltou uma praga, depois de ter explorado com um relance de olhos o tesouro desconhecido. Era o danado do cimélio que ele se comprometera imprudentemente a dar ao amigo, crente de que se tratava de livro inencontrável. Agora, era comprar, pagar e não bufar.

— E quanto pede mestre Apóstolo por essa raridade?

— Ah! disse o livreiro, os tempos estão duros e o dinheiro é raro. Eu teria pedido outrora cinquenta cequins ao Duque de Abrantes e cem a um inglês. Mas devo cedê-lo hoje por quatrocentas depreciadas libras de Milão...

Lowrich interrompeu-o, furioso. Onde se vira dar tanto dinheiro por um mau *bouquin*?

— Um mau *bouquin*! redarguiu vivamente o livreiro, quase tão excitado quanto Lowrich... Uma edição princeps de 1467, a primeira de Treviso, e talvez da Itália; uma obra-prima de tipografia e de gravura cujas figuras só podem atribuir-se a Rafael; obra admirável cujo autor permaneceu ignorado até aqui, apesar das pesquisas dos sábios; peça única, ou quase única enfim, de que o próprio reverendo padre não conhecia talvez a existência...

Lowrich acalmara-se durante a tirada veemente do livreiro.

— Acabaste de falar, Apóstolo? disse ele sossegadamente depois de sentar-se, enquanto enxugava o suor da fronte.

Fez-lhe ver que em quatro palavras que acabava de pronunciar emitira quatro tolices. Primeira tolice: o livro não era uma edição de Treviso, impressa em 1467, e sim uma edição de Veneza, impressa em 1499, da qual se havia substituído o último caderno para fraudar-se a data. Essa imperfeição reduzia a mais de metade o preço do exemplar do Apóstolo Capoduro. Afortunadamente, ele, Lowrich, estava em condições de remediá-la: um feliz acaso fizera-o encontrar aquele precioso caderno no meio duns papéis de embrulho, guardara-o cuidadosamente para uma ocasião bastante improvável mas não impossível. Isso dizendo, tirou da pasta a folha faltosa e reajustou-a ao volume. Segunda tolice: os desenhos não podiam ser de Rafael, quer a edição fosse de 1467, quer fosse de 1499, pois o artista nascera em 1483. Terceira tolice: era inexato que o autor fosse desconhecido dos sábios. Não se ignorava que a autoria pertencia a Francisco Colonna ou Columna, dominicano do convento de Treviso, morto em 1467. E Apóstolo enganara-se ainda pela quarta vez, mais gravemente, ao dizer que Lowrich não conhecia talvez o livro. Não só conhecia muitíssimo bem, como até o sabia de cor, embora estivesse escrito numa língua heteróclita, misto de italiano, latim, grego e hebraico.

— Se assim é, redarguiu Apóstolo, o livro será vosso, *grátis pro musa.*

Para não se perder tempo com a prova, Lowrich propôs uma experiência mais rápida e não menos decisiva: daria as iniciais dos seus 38 capítulos, sucessivamente, do primeiro ao último.

— Seja, assentiu Apóstolo. A primeira letra do primeiro capítulo é..?

— Um P, disse Lowrich.

E desfilou a ladainha das iniciais até o derradeiro capítulo, sem vacilar, nem se enganar uma única vez. O livreiro deu-se por vencido e entregou-lhe pesarosamente o volume.

— Deus me livre e guarde, disse Lowrich, de abusar de tua candura, ó fênix dos bibliófilos! O que eu acabo de fazer está ao alcance de qualquer menino de escola.

Explicou então que o autor julgara acertado esconder seu nome, sua condição e o segredo de seu amor nas iniciais dos trinta e oito capítulos que compunham o livro, as quais formavam entre si um acróstico fácil de guardar na memória: POLIAM FRATER FRANCISCUS COLUMNA PERAMAVIT (Frei Francisco Columna adorou Pólia).

— É singular, disse a meia voz Apóstolo. Esse dominicano estava apaixonado. Há uma história de amor nesse meio.

— Por que não? replicou Lowrich. Prepara a pena e agora mesmo terás o folhetim de que a tua gazeta precisa.

E logo improvisou uma romântica novela de amor que se teria passado entre Francesco Colonna, jovem pintor pobre, e Pólia, filha única de opulenta família dos Poli de Treviso; amor truncado pela desigualdade social dos dois namorados. O moço sacrifica-se voluntariamente: entra para um convento e ali se resigna a partilhar o tempo entre os deveres monacais e os lazeres consagrados a sua arte, ora pintando afrescos duma admirável pureza e ingenuidade, ora reduzindo a escrito as impressões do seu gênio e sobretudo as do seu amor: obra vasta e caprichosa, em que tomavam corpo, sob a forma vaga do sonho, as ideias dum solitário abandonado aos seus pensamentos. Terminado o manuscrito, Francesco entrega-o a Pólia. Morre pouco depois. Passados muitos anos, Pólia vai ter com o mais ilustre impressor de Veneza e da Europa, o erudito humanista Aldo Manúcio, e o encarrega de fazer do livro uma obra-prima digna de seu renome e capaz de alcançar uma glória imortal.

— Possam todas as novelas que escreverdes, disse Apóstolo, radiante de contentamento, enriquecer a vossa biblioteca com um volume como este. É vosso, e eu vo-lo devo duas vezes.

— É meu, disse Lowrich recebendo-o com entusiasmo... Quero dizer, é do meu amigo, a quem o prometi esta manhã.

CAPÍTULO XIV

LIVROS EXTRAVAGANTES

A bibliotipologia tradicional. De Gutenberg aos nossos dias. Curiosas aberrações. Uma obra impressa em folhas de ouro. Um *Dom Quixote* de cortiça. O livro impermeável, para ler no banho. Obras nanicas 1.500 volumes liliputianos numa maleta de viagem. Encadernações macabras, com pele humana. Uma obra encadernada com a pele do autor. Estranhos legados testamentários. A pelica dum "mamífero de luxo". Livros com folhas de aço: previsão de Edison, ainda não realizada.

O primeiro livro feito por Gutenberg, há quinhentos anos, com toscos caracteres e impresso numa rude prensa de braço, saiu acabada obra-prima, que em seguida bastou ser imitada. Tudo o que veio depois não passou de aperfeiçoamentos acessórios e meios de mais rápida vulgarização. Por isto se disse que o Livro merecia a divisa: *Nascendo maturus*, maduro ao nascer.

A arquitetura do livro de hoje não difere da do livro de ontem. Os materiais principais empregados na sua construção são ainda os tipos soltos, ou os lingotes de linotipos; a tinta pastosa e oleosa com que se impregnam os rolos dos prelos; o papel de fibras vegetais feltradas, fabricado manualmente ou a máquina, e o couro, o papelão, o pano, para encadernações. Os formatos, que variam ordinariamente de acordo com os submúltiplos dos tipos AA e BB, adotados como padrões pelos nossos fabricantes de papel, são quase os mesmos de antanho. Não obstante os estupendos aperfeiçoamentos técnicos da Tipografia, os livros que hoje se imprimem não são mais belos que os da primeira metade dos século dezesseis, quando os grandes artistas do livro, com o francês Geoffroy Tory à frente, tomaram por modelo as lições do italiano Segismundo Fanti sobre as proporções matemáticas dos caracteres de imprensa. Desde então a letra romana de Jenson, Elzevir, Caslon, Boldoni ou Baskerville e a itálica de Aldo Manúcio ou de Froben não foram suplantadas por quaisquer outras de fontes modernas. Os moderníssimos caracteres *Futura*, que dominam desde 1928 a tipografia atual, são a pura reprodução, um pouco menos severa, da mais simples e legível de todas as letras, a Antíqua, de Manúcio; e o impecável

Times Roman, modelo de legibilidade, desenhado em 1931, sob a orientação de um grupo de oculistas, para The Times e agora largamente usado, não é mais perfeito que o romano de Jenson (1470) ou de Caslon (1726).

Não faltam porém amigos da singularidade que imaginam livros de feitio extravagante, livros que fogem do que se poderia chamar a bibliotipologia tradicional.

Podem ser lembrados alguns bem curiosos. Um destes, por exemplo, era o que foi oferecido a um marajá indiano por seus súditos, há mais de meio século, e por fim veio ter às mãos do milionário norte-americano Underbritte, apaixonado bibliófilo. Este livro, rara curiosidade artística que representava uma fortuna, tinha folhas de ouro, finíssimas, com o texto lavrado a cinzel por um artista hindu, que também lavrara em baixo relevo a capa, feita de duas chapas também de ouro, da espessura de meio centímetro.

Engenhosa lembrança foi a de um editor de San Felíu de Guixols, na província de Gerona, centro da indústria da cortiça na Espanha. Esse editor, amigo da *cor local*, teve a habilidade e a paciência de imprimir em folhas de cortiça, com tipos análogos aos caracteres gótico-catalães dos primitivos impressos daquela parte da Península, vários exemplares do *Dom Quixote* e, posteriormente, uma reprodução do Psalten de Roiz de Corella, precioso documento da língua catalã, impresso antes de 1500. Para esta reprodução, ao que se diz perfeitíssima, foi tirada uma fotografia de cada página do valioso incunábulo, que se conserva na Biblioteca Nacional de Madrid.

A ideia do livro impermeável, para a leitura no banho, ocorreu a um editor inglês, que chegou a pôr a venda, há poucos anos, um romance impresso em finas folhas de borracha. Não sabemos se a novidade logrou qualquer êxito, mas é de crer que os cronistas mundanos tenham recebido a ideia com aplausos e hajam formulado o desejo de verem nas praias de banho as elegantes aquáticas imersas na leitura dum agradável romance enquanto se banham. Não era nova a ideia. Em 1850, o escritor e jornalista Aurélien Scholl, homem de bom humor, criou em Paris La Naiade, folha impressa em borracha, para ser lida no banho. Mas não teve êxito, talvez porque naquele tempo o hábito do banho fosse menos geral do que hoje.

Mais prática e de perfeita realização é a edição de livros leves, minúsculos, portáteis, próprios para viagens. Os viajantes que amam a leitura conhecem os inconvenientes de se levarem nas malas alguns volumes de formatos comuns. Os livros pesam muito e ocupam demasiado espaço. Fazer-se acompanhar de uma pequena biblioteca é bastante incômodo e dispendioso. A solução para o caso estaria nas obras de formato liliputiano, se estas não fossem tão caras, pouco mais que simples curiosidades bibliográficas. Conhecem-se algumas tentativas de livreiros para o lançamento de volumes pequeninos e, o que é melhor, baratos. Antes da guerra de 1914, a Livraria Flammarion et Vaillant, de Paris, pôs à venda os primeiros números da coleção *Les plus petits livres du monde,* voluminhos de 20 por 28 milímetros, encadernados em couro flexível, ao preço de 2 francos e 25. *

O menor livro do mundo composto tipograficamente, de que temos notícia, mede apenas 12 milímetros por 17, e tem como apelido "o colibri das bibliotecas". Bem que o seu tamanho seja diminuto, a obra que contém é importante, pois se denomina *Carta de Galileu a Mme. Cristina de Lorrain*e. O volume é célebre entre os bibliófilos, pois até hoje poucos privilegiados dos o têm visto ou tocado desde 1896 quando um editor de Pádua o publicou.

Lemos, faz tempo, que um engenheiro italiano de nome Salomoni, do Piemonte, possuía uma biblioteca de mil e quinhentos volumes de autores e assuntos diversos, composta de volumes tão diminutos que cabiam muito bem, todos eles, numa maleta de viagem de regulares dimensões. Um dos volumes, o que continha *in extenso* os dois poemas épicos do Homero, traduzidos em verso italiano, era tão reduzido que apenas ocupava o espaço de um selo comum de correio. Pela maior parte essas edições nanicas procediam da Holanda.

Mais que extravagantes, macabros, são os livros encadernados com pele humana. Porque há notícia de encadernações feitas com tal material, e são os franceses, ao que nos consta, os que mais se têm dedicado a empregá-lo.

Um publicista do século passado, Granier de Cassagnac, possuía um exemplar da Constituição Francesa de 1793 encadernado com pele humana. Outro exemplar da mesma Constituição, igualmente encadernado com pele humana, acha-se colocado numa das vitrinas do Museu Carnavalet, de Paris.

*Apareceu este ano na coleção francesa "Les plus petits livres du monde" o texto do Pater em sete línguas, gravadas em minimoldes de aço e encadernado todo em marroquim. Para tranquilidade dos míopes o estojo contém uma lupa incorporada e os caracteres são tão nítidos que a leitura se torna fácil. A Biblioteca do Vaticano acolheu esse minilivros com entusiasmo e o Museu Gutenberg de Mogúncia o expôs entre as obras-primas da arte de imprimir. Nota desta edição.

Em 1878, um livreiro da capital francesa vendeu um exemplar dos *Mistérios de Paris*, de Eugênio Sue, que ostentava um certificado afirmativo de que o livro era encadernado com a pele de uma mulher e que o trabalho fora feito por certo M. Bautaille, em 1874.

Em 1913, a atenção pública parisiense foi atraída para a venda da biblioteca particular de um tal Chéramy, na qual se achavam dois livros encadernados com pele feminina. Intitulavam-se *O que de bom se disse das mulheres* e *As poesias de Anacreonte*, sendo estas impressas em papel da China e encadernadas com a pele de uma negra.

Conta-se que um exemplar da tradução das *Geórgicas* pelo Padre Jacques Delille foi encadernado com a própria pele do famoso poeta. O caso foi que um seu aluno, o estudante Leroy, entrou furtivamente no cômodo onde se embalsamava o cadáver do mestre e cortou largos pedaços da pele dos seus pés, por ele depois utilizados na encadernação da mencionada obra.

Conta-se também que a pele de Mary Bateman, enforcada em Yorkshire (Inglaterra), no início do século XIX, por crime de assassínio, serviu para encadernar dois livros, *Heart of Sedition,* de John Cheek, e *Arcadia Princess*, de Braithwaite.

Certo doutor Wood, de Filadélfia, era possuidor de três livros encadernados com a pele de um alemão chamado Kauffmann, o qual, em cláusula expressa de seu testamento, determinara que os encadernassem por essa forma.

Ainda em fins do século passado, a Condessa de Saint-Anges, ilustre dama francesa, legou ao astrônomo Camilo Flammarion a pele de seus alvos ombros. O sábio, piedosamente, fez encadernar com a estimada pelica desse "mamífero de luxo" um exemplar de sua obra *Céu e Terra.*

Creia-se ou não, estas e outras notícias de encadernações com pele de gente foram retiradas de uma revista paulista de assuntos gráficos, que as reproduziu de uma revista argentina da mesma índole, a qual por sua vez as teria encontrado em alguma publicação europeia.

E por falar ainda em tal gênero de encadernações, reproduzirei a seguir uma pilhéria contada por Agripino Grieco, em *O Jornal,* do Rio:

"Falando dos requintes de bibliófilo de Alberto Ramos, o Humberto de Campos insinuou maliciosamente que ele possuía um livro encadernado em pele de mulher. Ao que Alberto Ramos respondeu nestes versos:

A encardenação é (retifique se pode)
Não pele de mulher, porém pele de bode.
Não o disse você — a coisa é transparente —
Por amor próprio de parente...

Poucos anos antes de sua morte, Édison anunciou que em futuro breve poderiam ser publicados livros em folhas de aço, tenuíssimas. Na opinião do genial inventor, além da solidez e duração, a publicação em aço sairia mais barata que a feita em papel. Quanto ao peso relativo, um volume de quatro mil páginas não teria mais de duas polegadas de espessura e pesaria menos de quinhentos gramas.

Felizmente não se verificou o anúncio de Édison. Felizmente sim, porque contra os livros detestáveis não nos restaria, sequer a ajuda benemeritamente destruidora dos insetos bibliófagos.

CAPÍTULO XV

Os inimigos do livro

Os anobídeos e outros insetos, os roedores, a umidade, o pó, o mau papel. Os inimigos mais temíveis: o caruncho e o cupim. Outros inimigos: os filantes, os bibliocleptas, os biblioclastas, o mau leitor, a guilhotina dos encadernadores. As bibliotecas públicas e a educação do leitor.

Os inimigos naturais dos livros são certas variedades de insetos, os roedores, a umidade, o pó, o mau papel. Duma obra espanhola de Don Luís C. Viada y Lluch, intitulada *Del amor al libro*, é o seguinte aforismo rimado:

En tu amor a los libros no perdones
ni energías, ni formas, ni ocasiones
de combatir con medios infalibles
la humedad, la polilla, los ratones,
que son sus enemigos más temibles.

Contra esses temíveis inimigos temos que precaver-nos por todos os meios e modos e com grande energia, embora nem sempre com os melhores resultados.

Nos países frios, certos cogumelos são responsáveis em grande parte pela deterioração dos papéis. Mais de cento e cinquenta espécies de cogumelos atacam o papel dos livros. Os insetos são muito menos nocivos nesses países. Porém nos climas quentes o bicho causa danos enormes. O clima do Brasil parece propício ao desenvolvimento dos insetos papirófagos. São necessários anos e anos de cuidados para os extinguir numa biblioteca por eles atacada.

É uma luta árdua a que se trava nas velhas bibliotecas contra bicho que as destrói. Nas novas a luta é mais profícua quando bem conduzida desde o início. Também neste caso, é mais fácil prevenir a cura.

O diretor duma escola superior, em Belo Horizonte, iniciara a organização duma boa biblioteca para o estabelecimento, quando lhe ofereceram à venda um lote de livros usados. Não teve dúvida em adquiri-los, pois os livros não eram desinteressantes e tratava-se além disso de ajudar uma pessoa amiga. Mas acontecia que alguns estavam bichados. Vai daí, o bibliotecário-chefe, que no caso não fora ouvido, mostrou-se contrariado e pediu demissão de suas funções. Tinha razão de se demitir? Tinha sim. A organização bibliotecária rege-se modernamente por normas racionais, uniformemente seguidas. É uma técnica. As compras de livros obedecem a determinado critério, e naquele caso fizera-se uma compra arbitrária. Mas isso não era grave. A gravidade estava nos livros bichados. Porque um só livro atacado pelo bicho papirófago põe em perigo um livraria inteira, novinha em folha.

A defesa de livrarias e arquivos contra os insetos que os atacam obriga a uma luta contínua e a uma vigilância sem descanso. O mais comum de todos é um bichinho alado, um coleóptero, denominado vulgarmente caruncho ou broca e designado pelos entomologistas com o nome de anobídeo, porque se finge sem vida, quando o tocam. Da família dos anobídeos conhecem-se na Europa para mais de duzentas variedades. No Brasil, duas, principalmente, causam destruições: o *Dorcátoma Bibliophagum e o Catorama herbarium,* este bem maior, mais frequente e mais destruidor que aquele. O catorama é abundante no Rio e em São Paulo, segundo informa Monsenhor Joaquim Nabuco na sua preciosa obra *Bibliófilos versus Bibliófagos,* editada pela Livraria J. Leite, Rio, 1943.

Na sua existência de inseto, o caruncho passa por três metamorfoses — larva, ninfa e adulto. Monsenhor Joaquim Nabuco diz que o adulto aparece nos meses de setembro e dezembro. Vive um ou dois meses, no máximo. O macho morre logo que termina o período da fecundação. A fêmea, carregando no ventre as futuras obreiras da destruição, voam pela biblioteca, em busca de alimento conveniente à manutenção de sua descendência. Em voo curto, pois é reduzido o seu âmbito de locomoção, penetra nas estantes e depõe os ovos na parte mais exposta das encadernações. Dias depois, a larva encontra na cola — deliciosa paparoca de sua predileção — o alimento de que necessita. É em estado de larva que o bichinho causa estragos: abre galerias circulares no material do livro, couro, papelão ou o que seja, e alimenta-se com o que as suas mandíbulas arrancam dessas substâncias. Por fim deixa no livro um furo mais ou menos extenso, sinal de que aí cresceu e terminou o ciclo de seu desenvolvimento. A fêmea põe os ovos "em lugares conhecidos, onde na geração anterior foi feliz".

A explicação é um tanto antropomórfica, mas serve. Se o cataroma aparece seguidamente em certos livros, é naturalmente porque eles oferecem condições mais propícias ao desenvolvimento da larva. Quer isso na realidade dizer que o livro tem um "fundo fraco", em razão da má qualidade do seu material e ação corruptora da umidade, das poeiras, da luz, das gorduras, da má aeração, das pressões externas, dos golpes recebidos, etc., etc. Mande-se ao encadernador um velho livro com vestígios de ataques de caruncho. Volta ele completamente expurgado, bem encadernado, com aparência de novo, por fora. Ao fim de pouco tempo, se há catoramas na vizinhança desse livro, ele será atacado. Por que, se a encadernação era de material novo e resistente?

Assim se explica porque o bichinho insiste em instalar-se nos mesmos lugares, através de sucessivas gerações, deixando intactos outros ao lado. Sem dúvida, certos livros são mais *comestíveis* que outros, e os mais velhos e fracos estão no primeiro caso.

Algumas grandes bibliotecas não conhecem a praga de que estamos falando. A de Rui Barbosa é uma delas. Quantos a visitam ficam justamente admirados de que aquela imensa livraria tenha sido até aqui preservada de *agressões* dos bichos. Diz o autor de *Bibliófilos versus Bibliófagos*: "A Casa de Rui Barbosa não os tem; se no entretanto for visitada por livros contaminados, o contágio será certo".

Aí temos porque se zangou o bibliotecário a que aludimos acima: a presença dum só livro contaminado ameaça gravemente a saúde das livrarias mais sãs.

Como impedir que o inseto daninho chegue até o livro? Eis o que é muito difícil numa biblioteca onde ele já existe. Estantes hermeticamente fechadas evitam em parte o perigo. Só em parte. E as estantes fechadas têm seus inconvenientes.

O processo para a eliminação do caruncho exige cuidados especiais. Assim, todo volume atingido é imediatamente afastado dos outros e colocado numa caixa metálica, onde, após o tratamento de expurgo, permanecerá em observação durante um ano. E precauções são tomadas para que nenhuma poeira suspeita de conter ovos caia nas estantes ou no soalho.

Qual o meio mais eficaz de expurgo? Monsenhor Joaquim Nabuco preconiza os vapores de Sulfureto de carbono, conforme é aconselhado por C. Houlbert, autoridade em insetos nocivos ao livro. Léo Crozet, autor do excelente *Manuel Pratique du Bibliothécaire*, acha eficaz o processo, embora o considere perigoso para o dourado e as estampas. Prefere por essa razão o éter de petróleo. O escritor português Albino Forjaz de Sampaio, erudito bibliólogo e avisado bibliófilo, dizia usar sempre a benzina.

Esses tratamentos, e outros análogos, são ineficazes e, o que pior é, prejudiciais. Só há um tratamento que vale: a constante e completa limpeza dos livros.

Em suma, é uma luta em que o temível besourinho leva frequentemente a melhor contra os esforços dos que se empenham em combatê-lo.

Bibliotecas e arquivos têm nos nossos climas outro inimigo ainda mais de temer, se bem que menos frequente: a térmite ou cupim, que no mais forte do verão penetra em bandos pelas casas, invadindo tudo. É a denominada formiguinha de Natal, que ao descer do voo perde as asas e se introduz por toda a parte enchendo de ovos, ao milhares, móveis, portais e assoalhos de madeira, roupas, livros e papéis. Uma vez instalado o cupim, torna-se dificílimo exterminá-lo. E sua espantosa capacidade de destruição é por demais conhecida.

Conta-se que uma colônia de térmites transformou em fina serragem, numa só noite, a perna de pau dum explorador inglês que se vira obrigado a pernoitar no jângal próximo a Nagpur, na Índia. Esta história pode não ser verdadeira, mas também pode ser que seja. Tratando-se de cupim, é pelo menos verossímil.

O cupim costuma atacar os livros, mas só quando colocados em estantes de madeira, nas quais constrói as suas cidades. Instalado numa tábua de estante, a necessidade de ar obriga-o a cavar galerias através dos livros, para que toda a colônia possa respirar. Não despreza o papel, sobretudo se entrou na sua composição uma boa percentagem de celulose. Gosta mais, entretanto, de celulose *in natura:* sabe apreciar as madeiras de qualidade.

O combate ao cupim é mais difícil que o combate ao caruncho. Uma vez instalado num casa, tudo o que aí é de madeira corre sério risco de ser infestado e destruído.

Recordo-me duma fita americana em que se procurava obrigar certo inquilino a desocupar determinado apartamento. Não havia meio de o conseguirem, até que um advogado matreiro descobriu que havia cupim na mobília do tal inquilino. Foi o bastante para se efetuar a ação de despejo.

Para dar cabo do cupim é preciso ao mesmo tempo acabar com o madeiramento por ele infestado. Assim, numa biblioteca em que ele penetre, ou se retiram os livros, ou se substituem as estantes de madeira. Do contrário, as perspectivas serão catastróficas.

Referirei a este propósito um fato do meu conhecimento. Um cavalheiro de elevada consideração na sociedade de Belo Horizonte, e que em moço pertencera às rodas intelectuais da cidade, costumava dizer a uma outra pessoa que perguntava pela sua biblioteca: — "O bicho comeu".

O caso era que o cavalheiro escrevera versos e fora jornalista na mocidade, tendo reunido, então, uma apreciável biblioteca. Metera-se depois na vida dos negócios, que o absorveram, os livros foram esquecidos. Ao cabo de trinta anos de prósperos negócios, já homem rico, lembrou-se da juventude, sentiu saudades da literatura e quis ver os seus livros. Já não havia livros. O cupim manjara a livralhada esquecida no porão.

Moralidade: Não esqueçamos nunca os nossos livros no porão, porque senão o bicho vem e come-os. E será bem feito.

*

Outros inimigos das bibliotecas, públicas ou particulares, inimigos clássicos: os filantes, os bibliocleptas, os biblioclastas, o mau leitor... Sem esquecermos os encadernadores que aparam sem dó nem piedade os volumes intonsos ou já tonsurados que lhes caem nas mãos desastradas, vândalos inconscientes aos quais se devem os exemplares "curtos de margens". Com que bruteza esses inimigos da obra bem feita manejam a guilhotina e podam, amputam, decapitam o livro nas suas três dimensões cerceáveis! Nunca é de mais, portanto, insistir na clássica recomendação: Poupai as margens, senhores encadernadores! Poupai as margens o mais possível!

Pior que o bicho bibliófago é o mau leitor. Deixa-me ver como lês e já te direi como és. Pelo trato dado aos livros é fácil distinguir o homem culto do bárbaro que lê muito pouco ou jamais lê. Um folheia o livro com cuidado e delicadeza, com atenções de namorado e afagos de amante, se é um bibliófilo. O outro, por pouco que lhe passe pelas mãos algum tenro volume, já não o deixa sem lhe ter causado qualquer dano ou violência.

O mau leitor não é só o indivíduo mazorro ou desastrado que inflige maus tratos ao livro. O mau leitor, o péssimo leitor pertence a uma espécie muito encontradiça nas bibliotecas públicas. Sempre que pode passar despercebido, dilapida ou depreda o patrimônio desses estabelecimentos. Burlando toda vigilância, o bibliocleptा surripia o que é possível. O biblioclasta faz coisa mais condenável: mutila as obras solicitadas à consulta, cortando folhas e folhas de textos ou subtraindo estampas e ilustrações.

O escritor e crítico de arte Carlos Rubens, autor da *Pequena história das artes plásticas no Brasil,* contou que durante longos meses frequentara a Biblioteca Nacional, em busca de dados para um trabalho que elaborava. Compulsara com esse fito a coleção de cinco ou seis anos do vespertino carioca *A Notícia* e, ao levar os originais de seus trabalhos, a *Bibliografia Artístico Brasileira,* ao diretor do Instituto do Livro, este fez-lhe ver que seria interessante enriquecer de comentários todos os verbetes. Carlos Rubens aceitou a sugestão e voltou à Biblioteca. Ao percorrer de novo a coleção daquele periódico teve a surpresa de encontrar várias folhas arrancadas, justamente aquelas em que Araújo Viana publicara os seus eruditos artigos sobre artistas brasileiros. O leitor vandálico inutilizara por essa forma a preciosa coleção de jornal, depredando um patrimônio público e prejudicando a quantos estudiosos precisassem de a consultar.

Outros há, torpes espécimes da família dos grafômanos, que danificam os livros enchendo-os de cotas marginais completamente idiotas, quando não francamente infames e nauseabundas.

Um antigo diretor geral da Biblioteca Nacional queixava-se, em relatório, da benevolência com que são tratados esses maus leitores pelas autoridades policiais, que se limitam a deter por alguns momentos os que são apanhados a depredar livros das bibliotecas públicas, e acrescentava que um serviço especial de vigilância que fosse estabelecido nas salas de leitura seria considerado como vexatório e provocaria críticas a quem o criasse. Notava, entretanto, que em muitas bibliotecas norte-americanas ia o leitor, ele próprio, escolher nas estantes a obra que desejava ler ou consultar. Essa política de porta aberta dava os melhores resultados, sendo raros os extravios de livros das estantes. Deve-se isto, lá, ao hábito da leitura e à educação do povo no respeito ao bem comum. Entre nós, na opinião do mencionado diretor da Nacional, essa prática seria de resultados desastrosos.

Falta de educação do público. Nossa gente não está habituada a ler e a estimar o livro. É preciso educá-la neste sentido. Para isso, deve-se ensinar às crianças, como dizem que se faz nas escolas norte-americanas, a manusear e consultar o livro, incutindo-lhe o hábito e o gosto da leitura. Só deste modo se difundirá o respeito e o amor às bibliotecas públicas.

Aos funcionários destas cumpre também a missão de ensinar à gente deseducada que as frequenta o trato devido aos livros. Por este e por outros motivos, a profissão de bibliotecário comporta uma função verdadeiramente educativa, fácil aliás de reconhecer agora que se atribui às bibliotecas, notadamente às populares, a finalidade de manter, completar ou ampliar a educação ministrada nas escolas públicas.

Esquecíamos um habitual inimigo do livro, ou mais propriamente, de nossos livros: o filante. Mas este merece referências especiais.

CAPÍTULO XVI

Contra os livros

Don Diego de Torres Villarroel, filho de livreiro, professor e escritor, fala mal dos livros, próprios e alheios. Outros detratotes. Contra a maré montante das obras impressas e o excesso de literatura. Opiniões de Sêneca, Berkeley, Schopenhauer, Nietzsche, Tolstoi. Literatos que nunca leem, ou só leem a si próprios O direito e o avesso duma velha sentença. Cada leitor tem os livros que merece.

Há uma idade para ler poetas e ficcionistas, outra em que se apreciam mais os memorialistas e outra, finalmente, em que não se lê nada. Esta última ocorre na velhice, em vésperas da recuperação do siso, que para todos chega, como chegou para D. Quixote, na hora da desintegração total da personalidade.

A quem estiver na idade em que se preferem as memórias, as autobiografias, os diários íntimos, as confissões, aconselhamos um saboroso e extravagante livro de confidências: a Vida de D. Diego de Torres Villarroel, escritor do século dezoito, rebento tardio da grande época literária espanhola. O próprio escritor narra nessa obra, com desenvoltura, sem nenhuma cerimônia, os picarescos acontecimentos de sua existência, abrindo-se em intimidades diante do público com sinceridade que toca às raias do descaramento.

Não resumiremos aqui a biografia de Torres Villarroel, estudante trocista, remisso e turbulento, doutor em cânones, professor de matemática em Salamanca, charlatão enciclopédico, astrólogo, fazedor de almanaques e prognósticos, perseguido da justiça, curandeiro, ermitão, bailarino, soldado, mau sujeito, comediógrafo medíocre poeta regular e prosador excelente, evocador sardônico dos relaxados costumes da época. Nem nos deteremos sobre as suas estrambóticas confissões. Queremos referir-nos aos juízo desfavorável que esse escritor setecentista, autor de uma obra variada e multiforme, formulou acerca dos livros.

Era filho de livreiro. Entretanto, não sentiu na infância nenhuma inclinação para as cartilhas, manuais e cadernos escolares. Confessa até que, nascido, criado e toda a vida ocupado entre os livros, jamais folheou algum com o propósito de se distrair ou o desejo de recolher ensinamentos. Só por obediência aos pais frequentara a escola, e unicamente por temor aos castigos de um mestre severo reprimira o pendor que sentia para as coisas erradas. Em menino, a ignorância privara-o dos benefícios dos estudos feitos com gosto; quando moço, a vadiação, as pândegas e a vida desordenada que levava não lhe permitiram pensar na sua utilidade.

Aproximou-se dos livros, depois de barbado, mas positivamente não nascera para estimá-los muito. Atentou mais no lado fraco que apresentavam. Sentiu-se confundido com a variedade de sentimentos e a turbulência de opiniões, que neles descobria, e desconsolou-se ao considerar os fins a que se propunham os autores.

"*Aos livros antigos — disse Torres — ainda lhes tinha algum respeito; porém depois que vi que os livros se forjavam em umas cabeças tão achacosas como é a minha, acabaram de tomar conta de meu espírito o desengano e o aborrecimento. Os livros grossos, os magros, os pequeninos e os grandes, são uns ornamentos que entretêm e servem na convivência dos homens. Quem neles crê, vive feliz e deleitado; quem os frequenta muito está perto de ser louco; quem não os usa é totalmente néscio. Todos são feitos por homens e, precisamente, hão de ser defeituosos e obscuros, como o homem. Escritos uns por vaidade, outros por cobiça, outros para a solicitação dos aplausos, raríssimo é o que se escreve para o bem público.*"

Fiel à lei da ironia, que leva o ironista a exercitar a sua veia contra si mesmo, não excetuava os livros da própria lavra. Antes que lhe dissessem: "Macaco, olha teu rabo", ele era o primeiro em apontá-lo: "Sou autor de doze livros, e escrevi todos com a ânsia de ganhar dinheiro para me manter". Escrevia para fugir da ociosidade, para zombar do mundo e para granjear alguma moeda. Era o que outros como ele não tinham a coragem de confessar, e por isso considerava-os hipócritas e embusteiros.

Há muitos livros bons, reconhecia, mas também muitos maus, além dos inúteis, cujo número é infinito. Os dele pertenciam a esta última classe:

"Confesso que para mim os livros perderam o crédito e a estimação, depois que vi que se vendiam e apreciavam os meus, sendo produções de um homem louco, absolutamente ignorante e repleto de desvarios e estranhas inquietações".

Finalmente, "a natural ojeriza ao desengano alheio e o conhecimento próprio" acabaram por afastá-lo do convívio livresco. Antes de trinta e quatro anos, numa manhã em que essa espécie de bibliofobia se manifestara com maior fúria, repartiu entre seus amigos e contrários a pequena biblioteca que possuía, e só conservou numa mesinha ao pé da cabeceira da cama a terceira parte de Santo Tomás, Kempis, o Padre Croiset, Don

Francisco de Quevedo e tal ou qual devocionário, "dos que aproveitam para a felicidade de toda a vida e me podem servir na aventura da última hora".

Escolhera com muito acerto. Com isto não se mostrava inimigo dos livros, mas amigo de poucos e bons: Kempis, o Doutor Angélico, Quevedo; o viático tonificante da moral evangélica e os graves dogmas da Religião, junto com o humour quevedesco, travesso e feroz, fantasista e cáustico, sem igual no campo variado da sátira de costumes. Escritor barroco, espanhol de seu tempo, inclinado à vida desregrada e alegre, às aventuras e palhaçadas, mas obediente à doutrina da Igreja e cuidadoso de salvar em qualquer emergência a rica alminha pecadora, Don Diego reunira em pouquíssimas obras a melhor munição que poderia ter reservado para a humana viagem.

Um grande pândego, Don Diego. Depois de ter conhecido nas suas contínuas vagabundagens, todo Portugal, parte da França e quase toda a Espanha, jubilou-se como catedrático de matemáticas, obteve uma côngrua de sacristão, assentou a vida e — final inesperado para um detrator dos livros — exerceu, entre outras, a função de escolher e comprar as obras necessárias à biblioteca da Universidade salmantina.

Suas zombarias a respeito dos livros alheios e próprios não eram para ser tomadas totalmente ao sério. Exagerava, no caso como exagerava sempre, alardeando suposto vícios e forçando a nota no sentido da caricatura, seu dom principal como pintor e castigador de costumes. E seus próprios atos, depois de homem maduro, como escritor e professor, desmentiram o que havia dito em tom de sátira. Não nascera para os estudos aplicados e a erudição séria. Tivera educação superficial e desordenada. Aprendera, muito pela rama, Lógica e Teologia, Matemáticas, Astronomia e Medicina. Conhecia bem a literatura do século dezessete, à qual ainda se prendia pelas influências e pelo gosto. Com esse pouco, entretanto, e graças às suas andanças incessantes por todas as partes, que lhe haviam permitido conhecer e avaliar bem a que extremos de miséria intelectual chegara a nação espanhola, pôde batalhar, através do livro e da cátedra, em prol da reforma dos estudos e bater-se, como o fizeram outros escritores de seu tempo, contra a ignorância e a superstição.

Os livros têm detratores de outra espécie, inimigos a sério. A detratação, é claro, não se dirige aos livros em geral, mas à superabundância dos livros tolos, ridículos, maus ou simplesmente inúteis, que não valem o papel em que se imprimem.

Depois que se inventou a imprensa, apta a multiplicar os livros ao infinito e, o que não é nada interessante, capaz de facilitar a publicação de qualquer livreco, tornou-se mais comum a simulação do talento, a propagação da charlatanice escrita e a confusão dos valores. Referindo-se escarninhamente a esse inconveniente da imprensa, dizia em *Fuenteovejuna* o mais fecundo de todos os autores, Lope de Vega:

Después que vemos tanto libro impreso,
no hay nadie que de sabio no presuma.

Houve tempo em que muito moralista ranheta combateu a difusão do hábito de ler, pelo receio daquilo a que chamavam os malefícios da instrução. Temiam que o povo se corrompesse e desordenasse, com as leituras impróprias. Assim é que o filósofo idealista Berkeley (contemporâneo do mencionado Torres Villarroel) esbravejou contra a instrução, que no seu entender semeara a desobediência, a heresia e as dissensões religiosas no mundo, males que a arte de imprimir se encarregara de espalhar.

Outros falam mal dos livros porque na maioria deles se estampa a incorrigível vulgaridade humana. É o ponto de vista aristocrático, esposado entre muitos por Schopenhauer. Partidário duma espécie de teoria maltusiana da literatura, opinava ele que se devia proibir a publicação de maus livros e preconizava, como Sêneca muitos séculos antes, a pouca e boa leitura. Outro aristocrata da cultura, Nietzsche, considerava a maré montante dos livros — maré que não conhece vazante — como uma calamidade a que era necessário por termo. "Um século de propagação literária, e o espírito acabará por adquirir mau cheiro", dizia o orgulhoso ideador do super-homem, num de seus aforismos. E em outro: "Devia considerar-se todo escritor como um malfeitor que em raríssimos casos merece perdão e graça. Seria esse o remédio contra a invasão dos livros". Quem leu a correspondência de Tolstoi sabe como o grande iluminado russo vituperava a literatura, que lhe parecia espantosamente daninha, salvo nas manifestações superiores do verdadeiro trabalho científico, do verdadeiro pensamento e da criação artística. A literatura dos jornais e das revistas, essa então, que podriqueira!

Não são os ignorantes os que comumente falam mal dos livros. São os próprios letrados, e logo os mais soberbos dessa fauna excessivamente ensoberbecida e fátua. E há no meio deles os que afetam nada ler, nem os antigos nem os modernos, nacionais ou estrangeiros. Querem passar como talentos originais, auto fecundados: tudo o que pensam e escrevem é tirado do próprio sovaco. Não querem declarar-se devedores de ninguém, embora sejam irrecusáveis os seus débitos a antecessores e contemporâneos. "Leituras? Só das próprias obras, e cada vez com maior admiração." Isso que G. B. Shaw disse a brincar, outros dizem muito a sério.

Muitos espíritos superiores têm reconhecido, equanimemente, que mesmo da leitura dos piores livros sempre se pode retirar alguma utilidade. Concordam com a velha sentença, tantas vezes repetida: "Não há livro, por mau que seja, que não tenha alguma coisa boa". É uma sentença, poderia retrucar-se, que só os espíritos mais tolerantes, capazes de absolver todas as tolices, adotarão como boa, sobretudo neste momento de superprodução livreira, em que a quantidade deixa a perder de vista a qualidade. E mais acertado, na opinião de algum pirrônico, seria talvez virar a sentença pelo avesso e dizer: *"Não há livro, por bom que seja, que não tenha alguma coisa má."*

São asnáticos, pela maior parte, os livros que se publicam? Não faz mal. Asnáticos são também os leitores, na sua maioria. E cada leitor tem os livros que merece.

CAPÍTULO XVII

Das infinitas variedades de filantes

Aforismo de Leite de Vasconcelos sobre empréstimo de livros. Não empreste! — Livro emprestado é livro estragado ou livro perdido. Um dístico célebre. — A bibliopiratária e os traficantes de preciosidades bibliográficas. Camilo e o incunábulo *Tirant lo Blanch.*, — As bibliotecas monásticas medievais e os rapinantes. *Libri catenati. Ex-libris.* — O autor e os filantes. Mais esperta que G. B. Shaw. Manuel Gálves e um admirador... gratuito. Caradurismo e tenacidade dos pedinchões.

Não emprestes livro! aconselham todos os bibliófilos. Evita a raça detestável dos filantes de livros! Foge dos que têm o péssimo costume de os pedir emprestados!

O douto filólogo J. Leite de Vasconcelos, embora facultasse a discípulos e amigos a sua biblioteca, no tocante a empréstimo de livros formulou o seguinte aforismo:

"Só com grande circunspeção se podem emprestar livros, porque é frequentíssimo que quem os toma de empréstimo:

1 — ou os demore,
2 — ou os estrague,
3 — ou os demore e estrague,
4 — ou os não restitua.

O que tudo tem sucedido comigo".

O caso mais comum é o das pessoas que os demoram. Os psicanalistas, que nas suas minúcias de explorar o inconsciente chegam a esmerilhar as determinantes íntimas, quase sempre inconfessáveis, dos atos humanos aparentemente mais inocentes, explicarão que em tal demora se trai a intenção secreta de os conservar, intenção que repudiariam com energia e inteira sinceridade se dela fossem acusadas.

Neste ponto, mesmo as pessoas mais probas, como o notou o bibliólogo Otávio Uzanne, se acostumam à posse do livro alheio, postergam indefinidamente o dia da restituição e, como a justificarem aos próprios olhos a apropriação indébita, parece que vão dizendo intimamente: "*Este livro bem poderia ser meu... devia ser meu... é meu!*" Filantes desta espécie foram Goethe, Victor Cousin, Villemain, Nietzsche, que nunca devolviam os volumes que tomavam aos amigos. Grandes exemplos. Péssimos exemplos.

O melhor é não tomar livro emprestado; mas, se tomamos algum, devemos lê-lo sem demora, para o devolvermos o mais depressa possível.

"Eu não empresto os meus livros", dizia sempre um bibliófilo aos que por acaso lhe pediam algum. "Sei muito bem o que depois acontece." E, velhaco, com um tom confidencial: "Vê a minha biblioteca? Pois é toda de livros que tomei de empréstimo..."

Os verdadeiros amorosos dos livros não gostam de os emprestar, como também não gostam de os tomar emprestados. Não é deles a altruística divisa do humanista napolitano Aulus Janus Parrhasius (ou, em vulgar, Giovanni Parisio) que escrevia em todos os seus livros estas palavras corteses: *Jani Parrhasii et amicorum*. A divisa que adotam é outra, cauta e avisada: *Donare est perdere:* A paixão do bibliólatra, como toda paixão, é exclusiva e egoística. Ademais, a leitura que sabe melhor é a do livro que nos pertence. E uma obra lida é alguma coisa que se acrescentou ao nosso espírito, que se incorporou à nossa experiência, à nossa realidade interior e, portanto, ao nosso ser. Como havemos então de separar-nos dela?

Livro emprestado é livro perdido ou estragado. Se vai, é quase certo que não volte. Se volta, caso raro, é para chegar-nos em petição de miséria. Quando o confiamos ao amigo, era novo, pulcro, imaculado; ei-lo agora sujo, estropiado e desfeito.

Conta-se que tendo André Chenier emprestado um volume da sua biblioteca, foi-lhe devolvido em tal estado de desasseio, tão manchado de tinta, que o poeta escreveu junto a uma das manchas maiores: "Fui constrangido a emprestar este livro a um indivíduo. Tenho a certeza de que não o leu. O único uso que dele fez foi sujá-lo de tinta. Que Deus lhe perdoe e afaste para sempre de sua cabeça a vontade de me pedir livros". É sempre assim. Recorde-se, a propósito, o prudente dístico que Teodoro Leclercq inscreveu à entrada de sua biblioteca:

Tel est le sort fâcheux de tout livre prêté:
Souvent il est perdu, toujours il est gâté

Estes versos foram parafraseados pelo português Casimiro de Faria no seu ex-líbris — uma etiqueta impressa sobre papel vermelho, onde se lê:

O livro emprestado,
Ou nunca mais volta,
Ou volta estragado.
... Pois seja negado!

Assim o prescreve
Um escarmentado.

São muitos os que desejam ter livros e poucos os que se dispõem a comprá-los. Não têm conta as pessoas que foram nas bibliotecas pilhando o livro alheio, já do amigo, já das bibliotecas públicas ou onde quer que o encontrem de jeito. Muito bibliófilo existe que, na impossibilidade de adquirir honestamente o livro cobiçado, não trepida em furtá-lo, se pode. Também não faltam mercadores de livros que traficam com preciosidades bibliográficas surripiadas a livrarias públicas ou particulares. Não faz muito tempo desapareceu da biblioteca de Nancy um raro exemplar, edição *princeps*, do Traité de l'Homme, de Descartes. Camilo Castelo Branco indignava-se de que a mais rica joia bibliográfica de Portugal, o incunábulo valenciano *Tirant lo Blanch*, fraudulentamente levado da Biblioteca Municipal do Porto, figurasse ostensivamente tempos depois entre as máximas raridades tipográficas dum argentário espanhol o Marquês de Salamanca. Exemplar único, admirável, foi posto à venda em Madrid 1895 por seis mil pesetas e ficou muito tempo sem achar comprador. Por fim, um grande mercador de livros antigos, o livreiro Quaritch, de Londres, decidiu-se a comprá-lo, não tardando a revendê-lo, por preço três vezes superior, ao milionário norte-americano Huntington.

Nas bibliotecas das comunidades monásticas da Idade Média, as mais ricas da época, tomavam-se todas as precauções possíveis contra os piratas de livros. Até o século XIV, usavam-se armários fechados com portas, e as obras costumavam ter *ex-libris* com inscrições em que se ameaçava com a pena de excomunhão, não só aos que furtavam ou encobriam o furto, como àqueles que raspavam ou faziam desaparecer o ex-libris da obra roubada. Quanto mais preciosa a obra, mais rigoroso o anátema. Um livro do século XII, da abadia parisiense de Santa Genoveva, trazia por baixo do título a seguinte etiqueta, um dos mais antigos *ex-libris* que se conhecem: — "Este livro é de Santa Genoveva. Quem quer que o furte, ou acoite, ou esta marca apague, excomungado seja!". E quanto mais precioso o livro, mais grave a excomunhão. Em certo código do mosteiro de Mabque, Alsácia, — livro dos Evangelhos, numa encadernação que continha relíquias em suas pastas — a fórmula de excomunhão enchia meia página. O ladrão era votado, sucessivamente, a todos os tormentos do inferno, condenado a mergulhar em lagos ardentes de alcatrão e enxofre e a ter a sorte de Judas, o traidor, concluindo com a invocação: *"Fiat! Fiat! Fiat!"* para dar mais peso à excomunhão fulminada.

Os donos de bibliotecas particulares não tinham esse meio de defesa. Usavam, por isso, fórmulas suasórias nos seus *ex-libris,* como, por exemplo, a de oferecer recompensa a quem porventura devolvesse o livro extraviado.

Ao anátema previsto para o ladrão de livrarias religiosas sucederam as penas correcionais, as represálias humanas, pois as eternas nem sempre davam bom resultado. Por fim entrou em uso um móvel que prova bem até que ponto era preciso acautelar a segurança dos livros. Era o *lectrinum* ou *pulpitum,* estante baixa e inclinada sobre a qual se deitavam os livros, de forma que ali mesmo se podiam manusear, sentando-se o leitor no banco colocado ao pé da estante. Para maior cautela, em certas bibliotecas da Itália, acorrentavam-se os livros — *livri catenati* — por um dos bordos da pasta direita da encadernação a uma barra de madeira colocada no alto da estante, podendo ser desacorrentada, quando preciso, por meio de competente chave.

O apelo na folha de guarda do livro, lembrando a quem o toma emprestado a obrigação de o devolver ao dono, vem da Idade Média e chegou até o nosso tempo. Ainda há quem apele, por esse meio ilusório, para a incerta honradez dos que são favorecidos com empréstimos. Em um volume que folheamos numa livraria de Belo Horizonte, oriundo duma biblioteca particular de Buenos Aires, dispersada provavelmente em livrarias de segunda mão, chamou-nos a atenção uma etiqueta impressa, a modo de ex-biblioteca, colocada na folha de guarda e que trazia, além das cotas de identidade e catalogação da obra, a seguinte advertência:

"Aleccionado por una larga experiência sobre la mala costumbre reinante de la retención de libros prestados, se ruega al actual portador de esta obra que tenga la delicadeza de devolver a su dueño después de hacer uso de ella, y confianza del que la facilita para su consulta.

NOTA: *Al tiempo de ser prestada la obra se nota su salida en un uibro especial junto con el nombre del favorecido em el préstamo y no se borra el asunto mientras no se haga efectiva la devolución.* ULTIMA: *La anterior advertência no compreende a las personas delicadas, quienes deben tenerlas por no escritas. Buenos Aires,* 1885."

Quanta precaução inútil! Só uma dá resultado: não emprestar.

Na nossa terra, são os autores — sobretudo os que editam suas próprias obras — as primeiras vítimas dos amigos do livro gratuito. Parece que toda gente supõe que os autores são milionários e que fazem imprimir os seus livros unicamente para oferecê-los aos camaradas e admiradores. Amigos, colegas e parentes não leem senão o livro ofertado. Se o livro não vem, ficam melindrados com o que julgam uma desatenção. Certos conhecidos do autor, mal este dá a lume alguma obra, vão dizendo logo que o encontram:

— Parabéns. Parabéns pelo seu belo livro!

— Ah, sim... Já o leu?

— Ainda não. Estou esperando que Fulano acabe de ler o dele, para me emprestar.

Ou então:

— Estou com muita vontade de o ler. Dizem que é muito bom... Onde é que se acha à venda?

Táticas, muito conhecidas, de filantes solertes, que com elas tentam constranger o autor a oferecer-lhe a obra que filam unicamente pelo gosto de filar. Outros, mais descarados mandam buscá-lo à própria casa do autor: "Que o senhor não se esqueça (diz o portador do recado) de lhe enviar o seu último livro, que ele deseja muito ler." E que dizer então dos que, mesmo sem conhecerem o autor nem terem qualquer direito à sua consideração, se dirigem a ele pessoalmente e, cara a cara, despudoradamente, pedem alguma obra com a respectiva dedicatória, apoiados no fragílimo argumento de que são seus admiradores?

E que dizer ainda dos que pedem o livro emprestado ao seu próprio autor? Oh, só por uns dias!

— Não o encontrei nas livrarias, diz o filante caradura. Disseram-me que está esgotado...

— Não, esgotado não está, diz timidamente o autor; mas a mim só me restam uns dois exemplares, encadernados, que devo guardar...

— Pois empreste-me um. Em oito dias estará de volta.

O vezo de filar livros não é só brasileiro e nenhum escritor, mesmo entre os maiores, se livra dos botes dos filantes. Um centro feminino qualquer da Inglaterra pediu a G. B. Shaw que lhe oferecesse alguma de suas obras, para a biblioteca que estava organizando. Shaw respondeu, em carta, dizendo que um centro que não possuía cinco xelins para comprar um de seus livros não merecia ser uma sociedade. A presidente do centro não encavacou. Muito pelo contrário: vendeu o autógrafo do famoso escritor e apurou dez libras.

O escritor argentino Manuel Gálvez referiu que um advogado com o qual não tinha relações, senão um ligeiro conhecimento, declarou-lhe certa vez, num bonde, que era admirador de um de seus romances, *La mestra normal,* embora não o houvesse lido. Estranhando o romancista que ele admirasse o que não conhecia, respondeu o interlocutor que estava inteirado do assunto do livro e dos seus méritos literários. Recomendara-o, mesmo, a várias pessoas e, por isso, reclamava um exemplar com uma boa dedicatória. Manuel Gálvez objetou, com certa timidez ante a tranquila audácia do filante, que teria de comprá-lo por não ser dono da edição, ao que o tal advogado, com uma gesticulação peremptória, que dava força às palavras, retrucou desta maneira estupenda: "Pois compre-a, amigo, compre-a!"

A desfaçatez dos filantes não tem limites. Parece, até, que concedem uma grande honra ao pobre escritor quando lhe solicitam alguma obra. E o bonito é que, não obstante a pouca publicidade que se faz em torno da bibliografia nacional, andam perfeitamente em dia com o nosso *vient de paraîte*, farejam de longe o volume recém-impresso.

Valha a verdade, é entre os literatos ou os indivíduos com veleidades literárias que vamos encontrar o maior número de pedinchões e também os mais caraduras. Para filarem um livro ou mesmo as obras completas do "ilustre confrade", usam de estratagemas que podem reduzir-se a um só padrão, de que temos excelente modelo na seguinte cartinha peditória:

"Meu ilustre confrade.
Saudações.

Venho pedir-lhe o obséquio de me enviar os seus livros, acompanhando a remessa da respectiva conta de venda. Não os encontro aqui, como não os encontrei no Rio, nem em S. Paulo, nem em Belo Horizonte, e daí a razão por que me dirijo diretamente ao Autor.
A crítica tem se referido a eles de um modo tão enaltecedor que, mesmo sem os ter ainda lido, lá lhe envio daqui os meus parabéns. Disponha do muito seu etc."

De duas, uma: ou o golpe é dum literatinho qualquer, e então a carta voará para a cesta imediatamente, acompanhada de um desaforo, ou será talvez de algum velho homem de letras, digno de certa consideração, e neste caso o autor vacilará uns momentos. Sabe que se trata dum filante igual aos outros; entretanto, parece-lhe indelicado deixá-lo sem resposta e a única resposta possível é oferecer-lhe os livros, graciosamente. "Vá lá", diz enfim, decidindo-se. Tempo, livros, atenção, tudo esperdiçado. Do velho confrade nem ao menos um cartão com um simples "muito obrigado".

Agora uma coisa. Se existem filantes em tão grande número é porque não falta quem lhes alimente o vício. Para acabar com eles, temos de os receber invariavelmente com a resposta que um grande erudito da Renascença tinha sempre pronta para os que lhe pediam algum livro emprestado: — *"Ite ad vendentes!"* Dizia-o em latim, por ser língua de letrados, e destarte, como *"le latin dans les mots brave l'honnêteté"*, a recusa ficava bem mitigada.

CAPÍTULO XVIII

Prestígio e desprestígio das dedicatórias

Apreço às dedicatórias dos autores estimados. Filado e com dedicatória. Isca comercial. Dedicatórias esparramadas, engenhosas, agudas, espirituais. A de Baudelaire a Théophile Gautier. As sóbrias e incisivas. Valor comercial e estima e subestima literária. Uma anedota de G. B. Shaw. Outra sobre A. Gide. Laconismo aconselhável. Lição de Machado de Assis.

Ao tratarmos dos filantes de livros, não esquecemos esta espécie: a do filante que, conhecendo o autor de alguma obra recentemente publicada, trava com ele um diálogo mais ou menos nestes termos:

— Meus sinceros cumprimentos pelo seu magnífico livro!

— Já o leu? pergunta o autor.

— Não, mas já li as críticas elogiosas... Não o comprei ainda porque desejo possuí-lo com a sua preciosa dedicatória.

O autor, constrangido, promete mandar-lhe o livro, grátis, com a desejada dedicatória. Promete mas não cumpre, é claro.

Mas, fora da temível e detestável classe dos filantes, há os que compram livros e desejariam ter a dedicatória dos autores que estimam. Para explorar a vaidade de tais leitores que amam as dedicatórias, mesmo pagando-as, esteve em moda há tempos, nas livrarias de Paris, os escritores marcarem dia e hora para dedicarem suas obras aos compradores. Era uma boa maneira de aumentar a venda. Os fregueses afluíam, não só para obter o cobiçado autógrafo como para verem de perto os autores do dia, famosos ou candidatos à fama.

Houve naturalmente quem condenasse o uso das dedicatórias com fim mercantil, sob a alegação de que a dedicatória deve ser a expressão dum sentimento espiritual, reservado aos críticos e aos amigos mais chegados. Sim, conforme. Pode ter e não ter essa significação. É muito frequente que os autores distribuam certo número de exemplares a pessoas que não são propriamente da sua amizade nem estão ligadas às coisas literárias, e às vezes são oferecidos com esparramadas dedicatórias.

Foi, por exemplo, o caso do escritor espanhol Mariano de Cavia, que dedicou um de seus livros a um alfaiate que conhecera numa ceia alegre. Dizia a dedicatória: — "A Fulano de Tal mau alfaiate, porém notável escritor".

A brincadeira quase se torna profética, porque dai a pouco o alfaiate publicava num jornaleco de Madrid um conto alusivo à guerra da Espanha com os Estados Unidos, intitulado *A* última lição. Era, inteirinho, o célebre conto de Alphonse Daudet sobre a perda da Alsácia, mal adaptado pelo alfaiate, que, como alguns recentes tradutores brasileiros da língua de Renan, era incapaz de distinguir entre *femme sage e sage femme.*

Mariano de Cavia dedicou-lhe então outro livro seu, escrevendo desta vez: "A Fulano de Tal, melhor alfaiate do que fuzilador de Alphonse Daudet".

Há os que timbram em escrever dedicatórias invulgares ou engenhosas, agudas ou espirituais. E também maliciosas, zombeteiras, como a de Oswald de Andrade, duplamente ferina, num livro de sua autoria: — "A Agripino Grieco, com a admiração de Cassiano Ricardo, o Oswald". E há os que as querem bem expressivas, como verdadeiras mensagens de admiração ou afeto.

Exemplo de dedicatória generosa é a de Baudelaire, impressa no limiar das *Flores do mal: "Au poète impeccable, au parfait magicien dés lettres françaises, à mon très cher et très vénéré ami Théophile Gautier, avec les sentiments de la plus profunde humilité, je dédie ces fleurs maladives. C. B."*

Baudelaire tinha grande admiração por Théophile Gautier, a quem considerava seu mestre e o maior poeta do século. Veja-se como é difícil julgar o verdadeiro mérito, próprio ou alheio, e como oscilam os valores literários. Gautier é tido hoje como poeta um tanto secundário ao passo que Baudelaire, quase obscuro em seu tempo, processado e condenado como escritor imoral, é estimado agora em França como o grande iniciador das correntes poéticas modernas e, para alguns, como o maior poeta francês do século passado, acima de Hugo, Lamartine, Musset e Vigny.

Entendem outros — e não entendem mal, ao nosso ver, — que as dedicatórias devem ser breves e secas, como *shake hands*.

Assim parecia compreendê-lo Machado de Assis, que pelo menos deixou uma prova disso no exemplar do *Quincas Borba* oferecido ao romancista do *Crime do Padre Amaro*, a qual se reduziu ao mínimo possível, isto é, aos dois nomes escritos com a sua caligrafia de amanuense, clara e muito igual: "*A Eça de Queirós — Machado de Assis*".

Muitos autores, especialmente entre os principiantes costumam escrever exageradas dedicatórias nos livros que enviam aos críticos. Ora, é sabido que os críticos literários e os escritores mais conhecidos recebem constantemente numerosos livros novos. Mas acontece frequentemente que estes livros, pela maior parte, não são lidos e nem ao menos abertos.

Essa livroxada vai-se então acumulando a um canto, até que é vendida a monte, por preço ínfimo. Embora completamente novos e intactos, tais livros são vendidos como usados, por causa das dedicatórias, que os desvalorizam.

Jean Jacques Brousson contou a história de certa banheira da casa de Anatole France. Era uma banheira abandonada, mas de algum préstimo, pois nela o escritor mandava despejar a livralhada nova que recebia de toda a França.

Quando estava repleta, um mercador de livros vinha esvaziá-la. Quaisquer que fossem os autores — grandes ou pequenos em prosa ou em verso — a tarifa ajustada era uma só: cinquenta francos por banheira cheia. Quando o homenzinho foi ajustar o negócio, Anatole France supôs que ele, dono da banheira, é que tinha de dar os cinquenta francos. Cem que fossem — pensou — não era caro para remover aquela montoeira de tolices. Ficou, pois, muito agradavelmente espantado quando viu o mercador de livros passar-lhe os cobres.

Mas não se vá pensar que só os livros de autores insignificantes ou mal conhecidos os que expõem a semelhante ignomínia. Isto pode acontecer a todos. O próprio G. B. Shaw viu-se num caso destes. Folheando livros, num sebo, encontrou várias obras de sua autoria. Até aí nada de mais. O grave é que, ao percorrê-las, verificou que uma trazia a seguinte dedicatória, escrita pelo seu próprio punho: "A. X., *com os meus cumprimentos*. G.B.S. (G.B.S. é como George Bernard Shaw assina, às vezes, o seu nome).

O amigo, a quem o escritor oferecera a obra, não vacilara em mandá-la para o livro-velheiro, como se se tratasse de coisa sem importância.

Mas com o grande trocista irlandês ninguém levava a melhor. Shaw comprou imediatamente o volume e remeteu-o de novo ao amigo que o desconsiderara, escrevendo por baixo da primitiva a seguinte dedicatória adicional: "A X., com os meus cumprimentos renovados. G. B. S. "

*. Robert Lalau (*Mercure de* France, Octobre 1959) referiu-se a certas dedicatórias rebuscadas e pretensiosas de Barbey d 'Aurevilly, escritas a pena de pato e tintas de cor, rosa, azul ou verde, com letras ornadas de riscos caligráficos complicados. Esta, por exemplo, do volume *Un pretre marié,* oferecido a um amigo:

A mon jeune ami
Em. Jean du Hamel du Breuil

(Todos esses nome e sobrenomes sublinhados por linhas sinuosas)

ce livre
fait par amour et pour la gloire de Notre Seigneur Jésus-Christ
(isto sublinhado da mesma maneira)
et condamné et exilé de la Librairie catholique par l'Archevêque de Paris.

JULES BARBEY D ´AUREVILLY.

Nota desta edição.

Outra ameaça de desconsideração para os livros oferecidos com dedicatória é a moda recente dos escritores que ainda em vida põem em leilão público as suas bibliotecas particulares. Foi André Gide, parece, quem teve a insólita ideia de vender em leilão, junto com outros livros, os exemplares que lhe haviam enviado, durante anos, os homens de letras seus confrades e admiradores.

Estes, como era natural, mostraram-se indignados com o deselegante queima, exceto Henry de Regnier, homem de espírito, que não se zangou nem se lamentou publicamente, tendo-se limitado a enviar ao autor de *Corydon* o seu último livro, com esta expressiva dedicatória: *"A André Gide, para o seu próximo leilão"*.

Pelo sim, pelo não, é bom ser comedido neste assunto das dedicatórias. O melhor é usar a maneira lacônica de Machado de Assis, ou então escrever simplesmente: *Homenagem do Autor,* como fazem muitos. Não dá para comprometer a susceptibilidade do ofertante, nem obriga o ofertado a guardar o livreco toda a vida, como uma relíquia de família.

CAPÍTULO XIX

A patologia do livro

Insetos nocivos. A ação da luz e os efeitos da umidade e da poeira. A péssima qualidade do papel mecânico. Papéis de boa qualidade, papéis caros. O livro atual, pouco durável. Clínica de livros. Um instituto de Patologia do Livro. Cuidados e remédios para prolongar a vida dos livros.

Comer e ser comido é a lei da vida. Os livros, por mais que isto pese aos bibliômanos, que desejariam a imortalidade para os seus amados bouquins, estão sujeitos, e cada vez mais rapidamente, à ação destruidora do tempo e das doenças, à lei da panfagia universal.

A saúde dos livros não é atacada por aqueles bichinhos infinitamente pequenos, chamados micróbios e inframicróbios, responsáveis por tantos males do homem. Os mais terríveis inimigos dos livros e das bibliotecas são insetos pequeninos, de que se conhecem muitas espécies. Os mais comuns são os anobídeos, uns besourinhos que, em estado adulto (na fase larvar é que destroem os livros), têm uma cabecinha redonda e dura, com a qual batem de encontro às paredes de sua toca, produzindo um ruído rítmico quase imperceptível: tac, tac, tac... É chamado por causa disso, na França, l'horloge de la mort. Esse ruidozinho, dizem os entomogistas que há muitos anos os vêm estudando, é um chamado de amor, um apelo à vida, e não um rumor de morte. Sim, é um modo de excitação vital para o inseto, mas que significará a destruição para o couro, o pano ou o papel que ele escolha para habitáculo de suas larvas.

Não são os únicos insetos bibliófagos. Há outros também nocivos. Nenhum porém tão nefasto como o cupim, que se propaga comumente na madeira das estantes e vai abrindo canais, em busca de ar, através do papel dos textos e couro das encadernações. Para o cupim torna-se uma proeza fácil perfurar de extremo a extremo todos os volumes juntos da Biblioteca Internacional de Obras Célebres. Com isto, em verdade, não se perderia grande coisa. O mau, porém, o realmente mau, é que os temíveis bichinhos poderiam fazer o mesmo — e muito mais facilmente, já se vê — com uma *editio princeps dos Lusíadas*, ou com o exemplar único de Tirant lo

Blanch, impresso em Valência, 1490, por Nicolau Spindeler, e considerado um dos mais belos trabalhos dos prelos da Península.

Os insetos bibliófagos não têm todos o mesmo gosto. Uns atacam principalmente o lombo das encadernações, as leves percalinas. Outros preferem as carneiras e os marroquins. E a maioria gosta da papa-fina, e por isso devora gulosamente o grude que fica entre as lombadas.

Existem obras no estrangeiro e também no Brasil que tratam dos insetos nocivos aos livros e às bibliotecas. E existem igualmente trabalhos escritos que estudam questões referentes à saúde do livro e ao problema da boa conservação das bibliotecas.

A umidade é uma das principais causas de deterioração dos livros. A ação da luz também lhes é prejudicial. Mas efeitos ainda mais danosos correm talvez por conta da poeira. Insinuando-se entre as folhas, a poeira debilita e carcome encadernações e textos. Tudo, enfim, faz mal ao livro, que nasce para morrer e vive morrendo, como todas as coisas que existem.

Mais ainda que o caruncho, o cupim, a umidade, as poeiras e outros agentes de doença e ruína, é responsável modernamente pela rápida destruição dos livros a péssima qualidade de papel mecânico, feito de pasta de madeira. Os jornais e os livros baratos utilizam esse papel podre e quebradiço, saído das fábricas modernas. O papel de trapo, de fibra sólida, escasseia e encarece cada dia mais. Livros impressos há dois séculos, em papel feito a mão, acham-se melhor conservados do que a maior parte dos impressos há trinta anos em papel de pasta de madeira feito em máquina.

O bibliólogo Alberto Cim comparou o livro impresso em papel de boa qualidade a um ser vivo, que, dotado de sólida constituição, tendo "um bom fundo", resiste melhor que um ser mofino e débil aos assaltos da moléstia e retarda por esse motivo o inevitável triunfo da morte.

Mas os papéis de boa qualidade — o chamado papel de Holanda (aliás de invenção francesa), o papel velino, imitação do antigo e verdadeiro velino, fabricado outrora com a pele de tenras vitelas, o papel da China, que tira a matéria-prima da casca do bambu, o papel do Japão, sedoso, nacarado, — são papéis caros, usados unicamente em tiragens de luxo, e mesmo esses, com os processos atuais de fabricação, não se destinam a durar muito.

Os processos mecânicos facilitaram e aumentaram extraordinariamente a produção, mas pioraram a qualidade. O papel de fio, feito a mão, em que se imprimiam as obras dos tempos heroicos da Tipografia, durava séculos, e ainda se conservam incunábulos quase tão nítidos e perfeitos como quando saíram das mãos do impressor. Os livros que hoje se imprimem, pela maior parte em papéis de ínfima qualidade, estão condenados a uma rápida destruição. Dentro de cinquenta anos não restarão vestígios da maioria dos livros impressos em nossos dias. Por quê? Porque os fabricantes abusam dos agentes químicos cuja ação violenta altera as fibras da pasta de madeira. Cada dia mais largamente empregada como matéria-prima, quimicamente obtida, esta pasta destrói-se a si própria através das inevitáveis reações que sofre no fabrico.

Que restará, perguntava-se em *Toute l'Édition,* que restará, daqui a poucos séculos, das obras dos escritores e dos sábios contemporâneos? Os livros de hoje estão condenados a se reduzirem a pó, se não se tomarem providências, desde já.

Com o intuito de preservar seu património, o Museu Britânico criou um departamento de restauração de impressos e manuscritos. Nos Estados Unidos já existem, por iniciativa particular e por intervenção do Estado, algumas clínicas de livros. Há poucos anos criou-se o primeiro instituto destinado à preservação dos trabalhos impressos. É o que existe na Itália, com a denominação de Instituto de Patologia do Livro, o primeiro no gênero em todo o mundo. Promoveu o tentame o Professor Alfredo Gallo, da direção geral das bibliotecas italianas, sábio erudito e apaixonado bibliófilo, a quem se deve uma classificação das doenças do livro em três categorias, a saber: desagregação parcial em resultado da degenerescência das matérias que entram na composição do livro; afecções parasitárias, deteriorações imputáveis à umidade, ao incêndio e a outros agentes externos.

Criou-se no Instituto uma espécie de museu em que se acham representados e classificados todos os aspectos patológicos que se observam nos livros lesados pelas mais variadas causas. Uma secção é particularmente importante: a que combina os resultados das pesquisas patológicas com a exposição dos métodos profiláticos ou curativos. Os livros enfermos são hospitalizados, e para os diagnósticos e tratamentos há lá dois laboratórios de Química, outro de Física para o estudo das radiações ultravioleta e infravermelhas, assim como um de raios X e, enfim, um laboratório de biologia e microbiologia.

Graças a estes cuidados especiais, salvaram-se, no Instituto, impressos e manuscritos considerados precedentemente como perdidos. O emprego dos raios ultravioleta, por exemplo, permitiu reconstituir, por meio de processos fotográficos especiais, textos de manuscritos antigos tornados ilegíveis no decorrer dos séculos.

*

Livros e livros, milhões de livros, toneladas de papel impresso saem dos prelos, incessantemente. Edificam-se bibliotecas, cada vez mais numerosas, mais amplas, mais cômodas. São imensos jazigos para o sepultamentos dos livros que não desaparecem na vala comum. Na estante dum armário encerra-se um livro novo, belo, são, cheirando ainda a cola. Passam meses. Passam anos. Um dia retira-se o livro, para a leitura ou a consulta. Ao abri-lo, o leitor nota que cai um pozinho de suas páginas. Presta atenção e vê um furinho na lombada. É a doença. É o inseto que começou a furá-lo, a rendá-lo, a reduzi-lo a finíssimo pó. Urge cuidar do enfermo, hospitalizá-lo, sustar a invasão da doença.

De que maneira? Aludimos ao que é possível fazer para a preservação do patrimônio escritor da humanidade. Existem remédios heroicos para se prolongar a vida da velha papelada impressa, mas os mais eficazes não estão ao alcance da maioria dos bibliófilos e bibliotecários. São complicados e dispendiosos.

Que fazer, então? Como evitar, por exemplo, que o bicho, ávido de papel e sobretudo da pele das encadernações, continue a sua obra destruidora? Muitos meios têm sido tentados e nenhum até hoje deu resultados realmente satisfatórios. Os melhores são os cuidados contínuos, o arejamento, a limpeza, o manuseio e, se possível, um ambiente de temperatura moderada, preferentemente entre os 18 e os 22 graus centígrados. E o mais drástico é o banho de querosene. Nas nossas livrarias públicas e particulares era, até há pouco, a terapêutica mais empregada. Ouvimos contar, ou lemos, que o poeta Juvenal Galeno, quando era diretor da Biblioteca do Estado do Ceará, andava sempre a dar banho na livralhada carunchosa. Não raro, em vez da obra pedida, recebia o consulente respostas como esta:

— O Aires de Casal? Não pode ser. Está no querosene.

O escritor português Albino Forjaz de Sampaio, dono duma biblioteca de 15.000 volumes, usa a benzina, que não suja o papel, exceto o *couché*. "*O processo para desinfetar um livro* (aconselha o escritor, em "Como devo formar a minha biblioteca") é pois abri-lo sobre uma folha de papel branco, ou uma vidraça. Sacudir a encadernação, batê-la, verificar se há estragos, sacudir tudo com uma escova, tirar o bicho, sacudir os ovos, com um pequeno fole, tirar todo o pó dos orifícios depois deitar benzina em abundância e ter a obra sob vigilância porque se reinfeta com bastante frequência".

Esse processo de limpeza — hoje desusado — é o comumente seguido. Quanto à benzina, ou qualquer outro líquido, ainda o mais volátil, já sabemos que prejudica o material do livros, sem qualquer proveito.

Um local *saudável,* seco, mas não demasiado, ao abrigo das poeiras e dos reflexos violentos do sol, estantes de aço (fechadas, se a biblioteca é particular), limpeza e vigilância permanentes — são os únicos remédios ao nosso alcance.

Mas, afinal, por que havemos de deter a obra da vida, que se alimenta de cadáveres? Sem dúvida porque não podemos conceber a destruição total de nós próprios, nem a de tudo aquilo que amamos e se incorpora ao nosso destino.

CAPÍTULO XX

A Bibliátrica

Arte de restaurar livros que sofrem as "injúrias do tempo" e outras injúrias. Cirurgia plástica para recompor textos, vinhetas e encadernações. Arte especial e delicada. Como se prolonga a vida dos cimélios.

Existe uma arte especial de restaurar velhos livros que sofreram as "injúrias do tempo" — preciosidades bibliográficas naturalmente —, como existe uma arte de restaurar velhos monumentos arquitetônicos ameaçados de ruína.

A arte de restaurar velhos livros, chamada bibliátrica, é uma arte delicada e difícil, que exige da parte de quem a exerce a máxima habilidade e muita paciência.

Inúmeras causas concorrem para a doença, a ruína e a morte dos livros. Já tivemos ocasião de aludir ao assunto. Sabemos que as principais são a umidade, os insetos, os roedores, o pó, o mau papel e o empilhamento ou amontoamento opressor. O caruncho causa enorme estragos, mas muito mais nocivo às bibliotecas, por ser o grande responsável pela deterioração do papel é o mofo ou bolor, a vegetação criptogânica que se forma sob a influência da umidade.

Os livros acham-se expostos ainda a outros estragos, como sejam as manchas, os rasgões, as quedas e os golpes, as dobras, as rugas e mais ofensas graves ou leves. Tais ataques à saúde do livro que se vão repetindo e agravando com o correr do tempo, arruínam a sua existência e provocam a sua destruição.

Um livro bem conservado pode viver séculos. Há uma higiene e uma terapêutica do livro. Já falamos dos meios que se conhecem para a preservação dos males que comumente o atacam, assim como dos remédios para as suas doenças mais frequentes. Há toda uma biblioterapêutica preventiva e curativa e uma bibliomacrobiótica com regras para prolongar a vida dos volumes impressos.

A um livro velho, decrépito, não é possível restituir a perdida juventude. Mas a bibliátrica, a arte de restaurar livros, está apta para curar graves lesões, cicatrizar feridas, revigorar e aumentar a vida dos exemplares mais ultrajados e arruinados pela idade.

Há toda uma cirurgia plástica para recompor textos, vinhetas e encadernações. Em outro tempo era de uso corrente tirar aos livros antigos a primitiva encadernação, quando esta se achava em mau estado, e substituí-la por uma encadernação nova. Com o gosto das encadernações históricas, passou-se a dar valor às antigas, considerando-se que uma encadernação, embora muito usada ou semideteriorada, desde que seja contemporânea do livro, conserva-lhe o caráter muito melhor do que uma moderna.

Cumpre à habilidade do restaurador a tarefa de remoçar as pastas, recompor o couro estragado, restituir-lhe a primitiva tersura e reavivar-lhe os dourados. Isto depois de feita a restauração do texto, assim como das vinhetas e ilustrações, se as houver, com uma arte especial, com uma ciência de artífice chinês.

A cirurgia plástica dos cimélios carcomidos, a ciência de prolongar a vida aos preciosos calhamaços conta hoje com especialistas competentes, bibliatras, que conhecem a sua delicada arte.

CAPÍTULO XXI

Ex-libris

Antes de nada, um problema de grafia: *ex-libris, ex libris ou ex-libris*? A moda dos *ex-libris*. A Confraria dos Pré-Rafaelitas. Germano Neves e Correia Dias. O *ex-libris* não é marca de autor. De Dûrer e Holbein a Max Klinger e Hans Thomas. Ex-libris-dedicatórias. Colecionadores e permutadores. No Brasil e em Portugal.

Antes de nada, aludiremos a um problema de grafia. Como se deve escrever: *ex-líbris, ex líbris ou exlíbris?* Com hífen ou sem ele? Em uma palavra, ou em duas?

O Senhor Manuel Esteves, autor do ensaio O *ex líbris*, decidiu-se pela forma sem hífen e em duas palavras. E citou em seu abono a opinião do Professor Carlos Pastorino, do Colégio Pedro II, do Rio de Janeiro, que tratou da questão no *Boletim Brasileiro da Sociedade dos Amadores de Ex-libris:* "Nas palavras ex líbris, diz ele, não há hífen, pois são duas palavras latinas distintas: ex (de, dos) e líbris (livros). Se houvesse o hífen, mudaria o sentido (aliás em latim não existe o hífen). Confrontem-se as expressões: — ex-alunos, ex-diretores, etc., ou seja, "não são mais alunos", "não são mais diretores". *Ex-libris,* pois, viria a ser: *não mais livros*.

Não nos parece a melhor doutrina.

Como locução latina, não leva hífen; mas, como substantivo incorporado às línguas modernas, deve levá-lo, se não se preferir (como fazem muitos) escrever *exlíbris*, com os dois elementos ligados. É assim que os italianos os escrevem, e era assim que a *Revista Ibérica de Exlibris*, de Barcelona (citada pelo Senhor Esteves) resolvia a questão: "Nem ex-líbris (com o hífen), nem ex líbris (a expressão latina), mas simplesmente exlibris (uma só palavra). Essa última forma era já empregada nos livros alemães e ingleses".

No Dicionário da Academia Espanhola acha-se a forma *ex libris*, que todavia não é uniformemente seguida pelos ex-libristas espanhóis.

Os franceses preferem-na com hífen. Assim a registra o Dicionário da Academia Francesa, embora outros a consignem sem hífen.

Com poucas exceções, os dicionários de nossa língua a indicam com o traço de união. Abra-se o Vocabulário da Língua Portuguesa da Academia das Ciências de Lisboa, organizado por Rebelo Gonçalves, e lá se acharão: *ex-líbris*, s. m. 2 núm.; exlibrismo, s.m.; *ex-librista*, ad. 2 gên. e s. 2 gêneros.

A Grande Enciclopédia Portuguesa e Brasileira, hoje no se 34° volume, tão prestimosa e já agora indispensável aos que manejam a língua, elucida cabalmente o caso:

"A expressão ex-líbris (sem hífen, quando, como locução em língua latina, significa propriamente dos livros), transformou-se, com o tempo, num "mero vocábulo, composto de dois elementos", e adquiriu significado diferente do primitivo; hoje, na linguagem corrente, ex-libris não é mais que "uma fórmula, ou uma papelinho, em que ela se estampou", (J. L. de Vasconcelos), pelo que se usa o hífen entre os dois elementos do vocábulo quando este é empregado com o sentido que, na atualidade, vulgarmente se lhe dá. É errôneo, portanto, sob o ponto de vista lógico, escrever ex libris de Antônio ou *ex-líbris António*, pois deverá ser ex *libris Antonii*, *ex-libris* de Antônio, ou melhor ainda, evitando o hibridismo linguístico, *dos livros, da livraria, da biblioteca de António".*

E há também a questão da pronúncia. Como se deve dizer: êis-líbris, ou ecss-líbris? O Dicionário Contemporâneo da Língua Portuguesa, segunda edição, dá a palavra com a pronúncia figurada: *"Ex-líbris* (eis-lí-bris), s.m. ..." Igualmente, *ex-offício* (ei-zó-fi-ssi-ó), *ex-voto* (eis-vo-tu). O mesmo se registra no Dicionário de Silva Bastos.

O filólogo que, com a pseudônimo de João da Aldeia, manteve nas colunas do Comércio do Porto seu consultório sobre dúvidas de linguagem, respondia assim ao consulente de nº CDXXVI:

"No ex-líbris, devemos pronunciar eis. Da língua latina tiramos recursos preciosos para a etimologia, mas nada, ou quase nada, para a fonética. Cada nação pronuncia o latim a seu modo. Digamos, pois, *eis* e deixemos o *ecss* para os franceses".

*

A arte do ex-líbris não se acha em decadência, como supõem muitos. Entre os colecionadores de livros continua a gozar de grande voga, embora o seu prestígio não seja hoje tão grande como foi, por exemplo, na época do *modern style* e dos estetas britânicos da Confraria dos Pré-Rafaelitas, a *Preraphaelite Brotherhood*, em que figuravam poetas e artistas como BurneJones, Dante-Gabriel Rossetti, Walter Crane, William Morris e Aubrey Beardsley.

Epígonos retardados dos desenhistas pré-rafaelitas foram Germano Neves e Correia Dias, que se tornaram conhecidos no Brasil como ex-libristas de talento. O malogrado artista português Correia Dias, que se matou não há muitos anos, era bem superior a Germano Neves, mas coube a este, talvez, o mérito de haver difundido em nossa terra o gosto dos ex-libris, na época de João do Rio e Mário Pederneiras.

Muita gente na nossa terra entende que o ex-líbris é uma marca de autor. Nada disso. O ex-líbris é uma etiqueta que se coloca dentro dos livros que possuímos, como sinal de propriedade.

*

Se você, leitor, gosta de livros, e possui muitos, e os guarda com carinho, use o seu ex-libris. Escolha uma motivo decorativo para essa etiqueta, desenhe-a você mesmo, se for capaz, ou mande-a desenhar por um bom artista do traço. Neste caso, um mote ou divisa em prosa ou verso, preferentemente em latim, é de uso figurar no desenho, junto ao nome do dono.

Nos ex-líbris de outros tempos eram comuns as sentenças ou divisas engenhosas, espirituais ou sábias. *Vita sine litteris mors est*, variante da sentença de Sêneca *Otium sine litteris...*, foi das mais usadas em ex-libris ou marcas de impressores e livreiros dos séculos XVI, XVII e XVIII. Não raro os motes continham um jogo de palavras, como *Libro libertas, Libro liber*, ou o orgulhoso *Manet manebit* inscrito no ex-líbris do pintor Manet. *Libre délivre*, variante em francês do latino *Libro libertas*, era o belo conceito que se lia no ex-líbris de Lebègue, melhor exposto ainda no de Favier: — "Seja livre o homem por meio dos livros", isto é, pela instrução, — assim escrito: *FiAt Vir lIbER libris,* onde se ressalta em maiúsculas o nome do proprietário, Favier.

Pronto o desenho, mande-o gravar e imprimir. A gravura pode ser em madeira, aço, cobre, pedra litográfica, linóleo ou zinco. A etiqueta assim desenhada e impressa, que se coloca na guarda dos livros, denota preocupação artística e certo gosto da distinção. Porque o ex-líris, objeto de interesse pessoal em sua origem, vale hoje unicamente como obra de arte.

Depois de ter o seu próprio ex-líbris, é natural que você se interesse pelos ex-líbris alheios. Torne-se colecionador. Há numerosíssimos colecionadores dessas etiquetas, não raro belas, originais ou curiosas, já pela concepção do desenho, já pela felicidade do mote, já por pertencerem a personalidades interessantes. Inscreva-se, antes de nada, na Sociedade dos Amadores Brasileiros de Ex-Líbris, do Rio de Janeiro, fundada com o fim de incentivar e facilitar as permutas entre os colecionadores dos país. É o melhor caminho para travar conhecimento com os que alimentam essa tineta inocente. E se você tem fumaças de fidalgo — bem pode ser que as tenha — escolha então um ex-líbris armoriado e entre para o Instituto de Estudos Genealógicos, de São Paulo, cuja grei é inclinada ao uso de armas e brasões e, por conseguinte, estima o ex-líbris, que nos seus primórdios foi principalmente heráldico.

Frivolidade? Pode ser. O gosto do ex-líbris é sinal de cultura, não há dúvida; mas pouco importante, um tanto vão e certamente inútil. Pouco importante, por ser dispensável. Vão e inútil, porque serve apenas para satisfazer certo sentimento de distinção. Frívolo, portanto.

Seu uso, primitivamente, respondeu a um propósito prático, que, entretanto, logo se mostrou sem maior préstimo.

Qual a origem do ex-líbris? O costume de escrever na capa ou na guarda do livro o nome da pessoa ou da biblioteca a que pertence é tão antigo como os livros. Parece que foram os assírios e babilônios os primeiros a usar a marca de propriedade nas suas bibliotecas, as quais consistiam em rumas e rumas de tijolos gravados. Em recentes escavações, observaram os arqueólogos empenhados nesse trabalho sinais uniformes e repetidos em todos os tijolos de certa biblioteca. Tais sinais, deduziu-se, eram marcas de propriedade, isto é, ex-líbris.

A marca tinha por fim, certamente, identificar o livro em caso de desvio ou furto. Precaução inútil. Todas as marcas se apagam. Desde que há livros, sempre houve amigos... dos livros alheios.

Os alemães são mestres incomparáveis em desenhar ex-libris esquemáticos, consoante os estilos modernos. Parece aliás incontestável, como afirma o Professor O. Weyse em La *escritura y el libro*, que o ex-líbris é genuinamente alemão e a Alemanha a pátria dos ex-líbris artisticamente executados, desde os clássicos Dürer, Holbein, Lucas Cranach, Chodowiecki, até os contemporâneos Max Klinger, Hans Thomas, Ed. von Gebhardt e outros.

Muito interessantes como modelos de novo gosto, alguns realmente notáveis, são os que vêm reproduzidos na revista *Arts et* métiers graphiques, artigos *A propos de l 'Exposition à Versailles d'Ex-líbris français* (no 12, 1929) e *Du blason à la marque de propriété* (nº 19, 1930).

Costumam-se escrever dentro dos livros, na folha de guarda, palavras a eles alusivas, em prosa ou verso, mais comumente em verso do que em prosa. São uma espécie de ex-líbris. No volume *Dedicatória* do poeta espanhol Manuel Machado — quase tão admirado como seu irmão Antônio Machado — encontram-se algumas composições deste jeito. Manuel Machado escreveu num livro de Javier Valcarce esta bela *Canción del Invierno*:

Los días están tristes y la gente se muere,
y cae la lluvia sucia de las nubes de plomo...

Y la ciudad no sabe lo que pasa, como
el pobre corazón no sabe lo que quiere.

Es el invierno. Obscuro túnel, húmedo encierro;
por donde marcha a tientas nuestros pobre convoy.
Y nos tiene amarrados a la vida de hoy
como um amo que tira de su cadena al perro.

Luto, lluvia, recuerdo. Triste paz y luz pobre.
Cerremos Ia ventana a este cielo de cobre.
Encendamos la lámpara em los *proprios altares...*

Y tengamos en estas horas crepusculares
Una mujer al lado, en el bogar un leño...
y un libro que nos lleve desde Ia prosa al sueño.

Na Europa colecionam-se e permutam-se ex-líbris e há sobre a matéria uma literatura própria. Estes colecionadores adquirem livros, às vezes bem caros, só por causa da apetecida etiqueta ex-librística. E, como estamos numa época de cooperação e sindicalismo, existem associações especiais com este caráter.

Os ex-líbris brasileiros mais antigos são de origem portuguesa, como os do Padre Joaquim Dâmaso, conservador da biblioteca de D. João VI, do Conde da Barca, ministro daquele monarca, Conde de Povolide e Luís da Cunha Grã de Ataíde e de Lencastre, governador de Pernambuco, de 1766 a 1769.

Não há muitos possuidores de ex-líbris, no Brasil. Talvez não cheguem a mil. Fundou-se entretanto no Rio de Janeiro, há poucos anos, a Sociedade dos Amadores Brasileiros de Ex-líbris com o fim de incentivar e facilitar as permutas entre os colecionadores. Em maio de 1942 realizou-se na capital do país a Primeira Exposição Brasileira de ex-líbris, organizada pelo diretor do Museu Nacional de Belas Artes. Foram 1304 as peças representadas. Entre os nossos ex-libristas de talento contam-se os artistas J. W. Rodrigues, Oswaldo Teixeira, Henrique Cavaleiro Carlos Oswald, Paim, José Heitgen, Alberto Lima, Calmon Barreto, Teodoro Braga, além de outros.

Anteriormente, em 1927, efetuou-se na Imprensa Nacional de Lisboa a Primeira Exposição de Ex-líbris em Portugal, certame em que figuraram, com poucas exceções, os ex-líbris portugueses conhecidos e alguns inéditos. Fizeram-se representar com ex-líbris muitos países europeus, o Brasil, o Uruguai, os Estados Unidos da América do Norte, o Japão e a União

Sul-Africana. Da importante exposição fornece magnífica ideia o seu belo Catálogo impresso em 1930, adornado com 420 reproduções de ex-líbris, quase todos em grandeza natural, que o recomendam como valioso documentário aos apreciadores e colecionadores dessa espécie de etiquetas.

*

Para que usar o ex-líbris? É o que entendem muitos. Amar os livros, está bem. Mas, acima de tudo, devemos respeitá-los, conservá-los impolutos como saíram do prelo. Nada de sinais de propriedade como se fossem cabeças de gado. Nada de tatuagens nem de outras marcas de apreço ou posse, uso ou gozo. Nem nome, nem etiqueta, nem cotas marginais, nem sinais ou rabiscos de qualquer espécie. Notas? Tomam-se à parte. Só assim podem ser úteis. No livro nada mais são que atentados à pulcritude das páginas impressas.

Assim pensam muitos, com razão.

Eu, por mim, devo confessar que uso às vezes o ex-líbris (embora não lhe veja a necessidade) e, o que é francamente condenável, nem sempre resisto ao mau hábito de fazer misérias à margem de livros lidos.

É frívolo todo afã colecionista. Se você, leitor, coleciona livros e tem veleidades grã-finas, use o seu ex-líbris. Ou não o use. Usá-lo ou não usá-lo, como diria um pirrônico, é igualmente vão.

CAPÍTULO XXII

Tristeza e alegria do bibliófilo pobre

A peregrinação diária pelos lugares de perdição. Quanto mais caros os livros, mais fascinantes. Melancolia do bibliófilo pobre. O vício do homem "impresso". Rimbaud e a tolice literária. Contra os livros. Retratação.

O bibliófilo pobre acha-se numa livraria, curioseando em companhia dum poeta. Encruado na sua paixão livresca, o bibliófilo percorre a vista pelos livros novos e volta a remexer nos velhos pela centésima vez. O moço poeta namora, com a gula no olhar, as fascinantes novidades. Separa umas, separa outras. Já separou um monte delas. O outro retira volumes e volumes dos mostradores, namora este, namora aquele, examina o rosto e o índice de cada um e torna-os a colocar nos seus lugares. A mesmíssima coisa já havia feito em outras livrarias, e a cena repete-se todos os dias.

O moço suspira:

— Os livros estão terrivelmente caros!

— Tudo está caro, diz o mais velho, mas os livros estão caríssimos. Só os ricos podem comprá-los. Minhas leituras, agora, limitam-se à portada e ao colofão. E para que ir além?

O moço admira a bela tipografia dum volume, as vinhetas de outro, a elegante encadernação de outro. Separa mais dois ou três e diz:

— Estão irresistíveis. E quanto mais caros, mais excitantes. Já me arruinei para muito tempo.

O veterano bibliófilo sabe que os livros sempre foram caros. Antes de inventar-se a imprensa representavam um valor excepcional. Eram escritos com capricho por hábeis escribas e copistas, ornamentados com lâminas pintadas, artisticamente miniaturados e depois encadernados em magníficos couros com fechos metálicos finamente cinzelados. Uma coleção duns cem livros era alguma coisa fora do comum. Só alguns conventos ou grandes senhores podiam jactar-se de os possuir. O leilão era a forma mais corrente de venda, e também se arrendavam obras por um e mais anos.

Permitindo a multiplicação das cópias ao infinito, a invenção da imprensa barateou extraordinariamente o livro. Não tanto porém como desejaria o bibliófilo pobre.

Agora, então, com a carestia do papel e do mais, as visitas às livrarias podem ser ruinosas. É preciso evitá-las ou eliminar as causas do mal livresco: *a libido sciendi e a libido possidendi.*

Ele não sabe evitá-las, nem consegue dominar o seu vício. E como não pode adquirir o que deseja, sente-se triste e mergulha num pessimismo de raposa diante das uvas que não logra alcançar. Considera com pena aquele moço, já empolgado pelo mesmo vício. Ele também principiara naquela idade: contraíra o gosto dos livros e adquirira uma personalidade "impressa", que abafara talvez a verdadeira essência de seu ser. Enquanto os outros moços, normais, namoravam, amavam, experimentavam os músculos, trocavam murros, embebedavam-se alegremente, faziam asneiras, cometiam diabruras, davam desgostos à família, ele não queria saber senão de livros, ambicionava explorar todos os recantos do saber e desejaria viver cem vidas para ler todas as obras que merecem ser lidas. Consumia as horas vagas do dia e da noite a bater pernas pelas ruas, peripateticamente, discutindo, com outros maníacos da mesma marca, os grandes autores do dia. Polemizava, aos gritos, acerca das ideias mais empolgantes do momento, pelando-se, como é comum nos moços, pelos chamados "escritores de ideias". Ideias! Estéreis formas verbais, logo caducas! Ele e os outros, perdidos nos intermúndios da literatura, não tinham olhos para ver as mulheres que passavam entontecendo os homens como se as banhassem uma atmosfera de cantáridas. Não viam a vida que passava por eles: procuravam-na nos livros.

A literatura... que tolice! Veio-lhe a vontade de lembrar ao moço a frase desdenhosa de Rimbaud. Mais: de lhe lembrar o exemplo desse menino malcriado da literatura francesa. O episódio é conhecido. Durante uma existência revolta e selvagem de adolescente vadio, Rimbaud escreve versos que o seu companheiro de desregramentos, Verlaine, fará depois publicar numa tiragem de duzentos exemplares. De repente, aos vinte anos, aquele adolescente de gênio, em que os poetas modernos da França reconhecem como o primeiro de seus predecessores, deixa tudo e foge de sua terra, com o único desejo de ganhar dinheiro. Vai-se embora batendo as portas, cuspindo para o ar e xingando a literatura: *"La littérature, cette* bêtise!*"* Viaja pela Europa, experimenta todos os ofícios, fracassa em todos e parte para a África.

No regresso duma de suas fugas pelo mundo, em busca de fortuna que lhe permitisse realizar o seu ideal de vida egoísta, confortável, materialista, o poeta renegado responde a um amigo que lhe mostra uns livros por ele adquiridos, belo elzevirianos editados por Lemerre, o editor do Parnaso: *"Dinheiro jogado fora! Comprar livrórios — esses, sobretudo — é com-*

pletamente idiota. Tens uma cachola sobre os ombros que deve substituir todos os livros. Estes, enfileirados nas estantes, devem servir apenas para dissimular as leprosidades das velhas paredes."

Mas, pareceu-lhe melhor não tocar no caso de Rimbaud, evadido cedo da tolice literária. Lembrava-se, muito a propósito, duma obrinha de Cesare Giardini, intitulada *Argante o dei luoghi di perdizione.* Lera, havia muito, essa obrinha que constava de dois diálogos ao gosto clássico. Argante era o nome do protagonista dos diálogos, um bibliófilo exasperado, que reconhece os danos de seu mal, faz-lhe um diagnóstico desapiedado, sabe que não poderá curar-se. Os lugares de perdição — era preciso dizê-lo — são as livrarias. Argante encontra um moço que, talvez pela primeira vez, entra numa livraria e folheia um volume novo, com a intenção de o comprar e ler. Julga-se então no dever de salvar o jovem amigo do risco de adoecer de semelhante enfermidade. Fala, fala, argumentando com excelentes razões. É brilhante e eloquente, mas é de crer que não tenha convencido o interlocutor, tanto mais que não lhe dera ocasião de expor sua opinião, que podia ser diferente. Porque neste caso o moço poderá ter dito ao bibliófilo desencantado algumas verdades. Ter-lhe-ia dito que o seu mal era haver pedido aos livros muito mais do que eles podem dar. Vale para o caso o que também se diz das aventuras amorosas, da paixão dos negócios, da ambição política... As desilusões estão na razão direta das ilusões. Da insatisfação, da ambição de atingir o inatingível, nasce o cansaço e aquele vago anseio nihilista de fuga, expresso no verso mallarmeano: *"La chair est triste, hélas!" et j 'ai lu tous les livres".* O álcool literário é como todo álcool: faz bem às naturezas mais saudáveis; para as menos, é tóxico. E bebido em excesso, pode causar a ruína e a morte.

O exemplo de Rimbaud, a que veio então? O exemplo de Rimbaud — diz-se — é a realização da frase de Goethe: "Avante, além dos túmulos". Isto é, além das necrópoles que são os museus e as bibliotecas. Rimbaud atravessou o Letes, esqueceu a literatura. Esqueceu-a cedo.

Sim, e depois? Acaso ganhou dinheiro, enriqueceu, viveu mais intensamente, conheceu a saúde e a alegria, foi feliz? Nada disso. Carregou o fardo da vida como pôde, e o fardo não lhe foi nada leve. Vendeu fuzis de contrabando na Abissínia. Um tumor no joelho forçou-o à amputação duma perna, em Paris. Partiu de muletas para Marselha e lá morreu num hospital.

Uns refugiam-se na literatura. Rimbaud evadira-se dos tediosos cenáculos literários da França, para se refugiar entre a negralhada semisselvagem do Norte da África. Mas a hora da fuga verdadeira soara para ele, como soa para todos, na hora própria, como ele mesmo notara:

L'heure de la fuite, hélas!
Sera l'heure du trépas.

Pensando nisto, o bibliófilo triste desanuviou o espírito e considerou: "As livrarias são os únicos lugares de perdição que eu frequento. Os livros estão muito caros, mas não tenho outro vício. Por que privar-me desse prazer inocente"?

E soltou logo, alegremente, umas centenas de cruzeiro — tudo o que tinha no bolso — por umas brochurinhas mofinas, impressas em papel racionado.

CAPÍTULO XXIII

O Diabo nas tipografias

O erro tipográfico ultraja o texto e humilha o autor. Uma exceção à regra geral: as "rosas de Malherbe". Teófilo Braga e o "canto de ledino". Os erros de ortografia, as trocas de palavras, a adição, a omissão ou a duplicação de letras. Lapsos engraçados, inconvenientes ou desastrosos. Quem se imprime se oprime.
O Diabo anda solto nas tipografias.

Não existe livro sem erro. Quem se imprime aprende à própria custa, com desgosto e humilhação, que o erro tipográfico é o acidente inelutável e, o que é pior, frequente, habitual, em todo trabalho impresso. Mas a esta fatalidade os autores dificilmente se resignam, sobretudo se há nele a religião da obra bem acabada.

Não é possível a resignação. O erro de imprensa quase sempre ultraja o texto e humilha sempre o autor. É a regra, que só em algum caso extremamente raro pode achar exceção. Nós pelo menos só sabemos de um caso de engano tipográfico que emendou para melhor o escrito pelo autor: é o célebre verso de Malherbe, tantas vezes recordado quando se alude a erros de imprensa. Pranteando, numa poesia que se tornou famosa — *Consolation à M. du* Périer — a morte da filhinha dum amigo seu com aquele nome, Malherbe comparou a menina a uma rosa, e disse que Roselle, a filha de seu amigo, vivera o que vivem as rosas: o espaço duma manhã. Escreveu:

Et Roselle a vécu ce que vivent les roses,
L'espace d'un matin.

O tipógrafo, porém, ao compor aquele alexandrino, tipo por tipo, no componedor, foi traído pela leitura e o reproduziu errado, dando-lhe esta forma:

Et rose elle a vécu ce que vivent les roses

Com o erro de leitura e a involuntária emenda, o verso ficou mil vezes melhor. Maravilhoso erro que deu à poesia francesa um de seus mais citados versos!

Erro feliz, só conhecemos esse. Mas houve realmente erro? Há dúvidas. Tudo não teria passado de lenda, porque a filha de Du Périer não se chamava Roselle, nem se ficou sabendo o nome do tipógrafo suposto causador do engano. Dos erros infelizes, o repertório é inesgotável. Sabe-se como os textos literários com erros de impressão têm levado filólogos levianos a interpretações caprichosas e falsas, senão disparatadas e desconchavadas. Neste rol figura o caso daquele texto errado de infeliz memória que levou Teófilo Braga, outrora prestigioso historiador das letras lusas, às quais prestou grandes serviços, a enxergar na lírica medieval galego-lusitana uns *cantos de ledino* por ele assim caracterizados na sua *Antologia Portuguesa* (Porto, 1876):

"A canção popular de vigília de santos e romarias, derivada das litanias sacras, como as Prosas e as Salvas, chama-se Canto de ledino. *Pertence à tradição galeziana e chegou a ser imitada nos Cancioneiros aristocráticos. "*

E deu dois exemplos do gênero.

Ora bem, Teófilo Braga se equivocara, muito simplesmente, ao ler um verso do *Crisfal* que na edição de Braamcamp Freire saíra impresso errado, estampando-se "cantar canto de ledinno" onde deveria ser "cantar canto dele dino". Tomando ao pé da letra o que não passava de uma incorreção tipográfica, Teófilo Braga, erudito imaginativo e teorizador imprudente, como há tantos no campo da filologia e da história literária, inventou logo um gênero especial da primitiva lírica galega.

Referindo-se ao caso, com ironia, escreveu Epifânio Dias: "É certamente o exemplo mais notável *(de erros de impressão), por isso que deu lugar a que o Doutor Teófilo Braga, não suspeitando inexatidão na escritura do texto, acreditasse que a nossa literatura possuía uns cantos de ledino, que nunca existiram senão na fantasia deste professor. "*

*

Em Tipografia chama-se gralha todo emprego errado de uma letra por outra na composição. Os nossos tipógrafos chamam-lhe também piolho, gato e pastel, embora este último nome se aplique propriamente aos tipos misturados ou confundidos em consequência de se ter desmanchado uma forma, uma coluna ou uma linha de composição manual.

Há muito erros de imprensa, como sejam: enganos de ortografia, de letras ou palavras, assim como a deturpação ou a transcrição errada de vocábulos, etc. E há, modernamente, na composição em linotipia, o pior de todos: a falta, a repetição ou a troca de uma ou várias linhas, lapso que costuma mutilar períodos inteiros, tornando-os ininteligíveis.

Uma simples letra fora de lugar produz às vezes quiproquós curiosos ou divertidos.

Lemos, por exemplo, num telegrama de Genebra:

"O negus Selassié e sua comitiva acham-se alojados no mesmo bocal" (em vez de *local*).

Ou então, por efeito duma síncope, neste despacho de Paris:

"O conselho de ministros reuniu-se para delirar" (queria dizer deliberar).

Na seção necrológica de um austero órgão carioca, leram-se um dia estas palavras escandalosas a propósito de um venerando figurão do Império: "O honrado Senador X passou os últimos anos de sua existência entre duas *mulatas*."

Um inocente paragrama trocara as muletas em mulatas.

Às vezes a má leitura do compositor, causada pela pressa ou por distração momentânea, ocasiona lapsos que parecem cometidos de propósito. E em tipografia todos os lapsos acontecem, ainda os mais incríveis.

Quando Ramalho Ortigão esteve no Rio de Janeiro, a direção da Gazeta de Notícias, que era então matutino mais lido pela população carioca, solicitou do escritor português um artigo de colaboração destinado a uma edição especial. O artigo foi escrito e apareceu com o título "O pássaro e as penas", título que a muitos leitores causou estranheza, pois no artigo não se fazia a mínima alusão nem a pássaros nem a penas. No dia seguinte o jornal explicava o fato, retificando: "Por um engano de revisão — dizia a corrigenda — saiu deturpado o título do artigo do nosso ilustre colaborador Senhor Ramalho Ortigão, que publicamos ontem. Onde se lê O pássaro e as penas devia ler-se: *O pássaro e o presunto.*" Foi pior a emenda que o soneto. O título não era ainda esse, mas simplesmente *O passado e o Presente.*

Aí está no que dão as corrigendas, muita vez. Frequentemente, suscitam erros novos e às vezes ainda mais graves que os que intentam corrigir.

Um jornal de Lisboa, no tempo da Rainha Dona Amélia, fazendo uma edição especial muito esmerada em homenagem à Soberana, anunciou um prêmio a quem descobrisse um erro de revisão. Para quê? Logo na primeira coluna da primeira página do tal jornal lia-se em tipos fortes: Sua Majestade a Bainha etc., etc. O responsável foi punido e no dia seguinte saía a retificação: "Por um lamentável erro de revisão — dizia — demos ontem a notícia de que Sua Majestade a Tainha..." etc., etc.

Não adianta. As erratas, no melhor dos casos, são inúteis. Ninguém as lê.

Os leitores divertem-se com certos erros engraçados ou imprevistos. Os autores danam-se, ficam furiosos ou desgostosos. Ah, a incorreção dos textos impressos! O erro tipográfico manifesta-se de mil maneiras. É caviloso, subreptício, insidioso e desmoralizante. E por acostumados que estejam aos lapsos de imprensa, os autores nunca se conformam com esses pequenos transtornos, irritam-se com uma vírgula ausente ou deslocada, sofrem se lhes estropiam algum nome e ficam a ponto de adoecer se o revisor deixou passar algum solecismo insinuado traiçoeiramente na página escrita com apuro. Quem se imprime se oprime.

Nos jornais, então, onde tudo é feito com a maior pressa, pululam os erros de toda espécie. Lembro-me dum erro involuntariamente injurioso, ocasionado pela troca de duas linhas linotipadas, no austero *Minas Gerais*, de Belo Horizonte, órgão oficial dos poderes do Estado. Na notícia sobre as matanças da véspera, na cidade, lia-se:

"No matadouro Municipal, abateram-se ontem 32 rezes, 12 porcos, 8 carneiros e o deputado Fulano de Tal. "

O tal deputado, cidadão muito estimável, mas conhecido como homem de pobre intelecto, fazia anos naquele dia e a linha com o seu nome se deslocara perfidamente da seção de aniversários para a de matanças.

Na falta de uma explicação psicofisiológica dos erros de imprensa, não será permitido falar-se dum gênio maligno que presidiria a tais lapsos, uma espécie de Caapora da composição tipográfica? A teoria científica talvez ainda não exista, mas o Professor Freud acha que em certos casos bem se pode falar de "atos falhados" do compositor, e a este propósito refere em sua *Introdução à Psicanálise* um lapso resistente, que se insinuara num jornal social-democrata da Alemanha, ao tempo da Monarquia.

Enfim, a explicação do Capeta é tão boa como qualquer outra. E só por artes do Capeta se pode explicar que se haja inutilizado uma edição da que continha este erro imperdoável: *"Cristo com cinco mil pães deu de comer a cinco pessoas"*. Outra Bíblia, impressa em Hale, em 1710, por Hildebrand, encerrava este monstruoso mandamento: *"Cometerás adultério."* A edição foi confiscada, mas, como sempre acontece, salvaram-se alguns exemplares, disputados depois a peso de ouro pelos bibliômanos. Ainda no capítulo das Bíblias, e sem sairmos da Alemanha: conta-se que a mulher de um impressor, querendo vingar-se dele depois de uma altercação doméstica, entrou à noite na oficina, onde na ocasião se compunha uma Bíblia, e maldosamente alterou na composição a sentença pronunciada pelo Senhor contra Eva no versículo 16, cap. III, do Gênesis, tirando as duas primeiras letras da palavras Herr e substituindo-as pela sílaba Na, de sorte que a frase: "Teu marido será teu senhor (*dein Herr*)", tornou-se: "Teu marido será bobo (*dein Narr*)". Afirma-se que os exemplares desta Bíblia "feminista" foram disputados entre os bibliófilos por preços exorbitantes.

Na Inglaterra, existe uma Bíblia chamada comumente "BíbliaVinagre" porque, no vigésimo capítulo de São Lucas, a parábola da vinha (*vineyard*) é intitulada por erro parábola do vinagre (*vinegar*).

Mas houve gralhas que deram celebridade a certas Bíblias. Cita-se uma edição em grego do Novo Testamento, feita por Robert Estienne em 1549 e conhecida pelo nome de Miríficam, que foi dado, diz-se, por dois motivos: porque a dedicatória começa por aquela palavra e porque se nota nela um único erro tipográfico: *pulres por plures*.

O pérfido erro tipográfico! Só quem escreve e publica é que sabe até que ponto os seus traiçoeiros caprichos humilham um autor. E às vezes comprometem-no seriamente. Foi o caso de Rabelais, que ao dar a lume o terceiro livro de *Pantagruel* se viu denunciado ao rei como herético e ateu, fundando-se a denuncia sobre uma *coquille* ou *gralha* do compositor, que havia posto no texto âne em lugar de âme.

Creia-se ou não, o Diabo anda solto nas tipografias e trabalha para a perdição da honrada corporação dos caixistas e linotipistas, em verdade não muito pia. *

* Na língua alemã acha-se a expressão *Druckfehlerteufel*, demônio do erro tipográfico.

CAPÍTULO XXIV

Ainda o Diabo nas tipografias

A gralha e o pastel. Pedro II e o tipógrafo-mor. António Torres e os gatos. Erros tipográficos inocentes que deram dor de cabeça ao autor dos Sertões. A Condessa de Noailles e um leitor. A velha queixa contra a incorreção dos textos literários. A importância da função de revisor. Na idade de ouro da Tipografia. Conselhos dum bibliófilo catalão.

Nos nossos meios tipográficos — ou ao menos naqueles de nosso conhecimento — a palavra pastel é geralmente usada como sinônima de *gralha*, isto é, a letra ou sinal gráfico invertido ou colocado fora do lugar. Muitos homens do ofício não conhecem a palavra *gralha* com o sentido que tem na Tipografia.

A palavra *pastel* significa propriamente, segundo o melhor uso, a mistura e confusão de tipos em consequência do desmanchamento duma forma, dum linha ou duma coluna. O Dicionário de Aulete-Santos Valente, além de outros, dá o significado de ambas as palavras.

Pode-se até ilustrar o caso com uma anedota alusiva ao imperador brasileiro D. Pedro II. O soberano visitava a Imprensa Nacional do Rio de Janeiro, numa época em que aquele estabelecimento representava o expoente das artes gráficas no país. O chefe das oficinas, um dos tipógrafos mais competentes daquele tempo, acompanhava Sua Majestade mostrando-lhe as instalações e explicando o seu funcionamento. Era homem nervoso e timorato, mas a lhaneza de D. Pedro e o interesse que ele demonstrava pelos aperfeiçoamentos realizados na imprensa em todo o mundo, de que havia ali manifestas provas, puseram o chefe da oficina um tanto à vontade. Quando a visita estava a terminar, o tipógrafo-mor aproximou-se duma estante onde se achavam alguns granéis de composição e quis levantar um deles para mostrar como se fazia. O barbante, porém, estava um pouco frouxo, de modo que, não sustendo bem a composição pelo meio, esta soltou-se das mãos do chefe e caiu no chão, desfeita num monte de letras.

Contudo, não perdeu a presença de espírito, e, dirigindo-se ao Imperador, disse sorrindo:

— Embora Vossa Majestade tenha visto que a tipografia não é confeitaria, nós a isto chamamos *pastel.*

No argot tipográfico francês chama-se também pastel (paté) à mistura de letras. Empastelar é *mettre en paté.* Analogamente, os alemães chamam ao pastel tipográfico: *swiebel fische,* que é o pastel feito de peixe com cebola. É o pastel dos garotos e o pastel dos tipógrafos, como se diz no *Glossaire typographique* de Emilio Chautard.

Na nossa gíria tipográfica dizemos também gato ou piolho, no sentido de qualquer lapso de impressão. Queixando-se das incorreções da nova edição de seu livro *Pasquinadas cariocas*, escrevia Antônio Torres ao editor Castilho, em carta enviada de Londres:

"V. não imagina, meu caro Castilho, como a revisão deixou escapar erros. Cada *gato* do tamanho de um pé do Filinto d´Almeida. Ou, por outra, não eram *gatos,* mas verdadeiras *panteras*, que V. deixou escapar..."

Sabe-se que Euclides da Cunha, apesar de recomendação de alguns escritores de prestígio, não conseguiu publicar Os Sertões nas colunas do *Estado de São Paulo*, nem nas do *Jornal do Comércio,* do Rio. O manuscrito foi entregue então à Livraria Laemmert, que editou a obra em 1902. Conta-se que no dia da saída do livro, já se achava Euclides da Cunha na gare da Central, no Rio, à espera do trem de subúrbio que o levaria de regresso a sua casa, quando se lhe depararam no exemplar que levava, ainda com a tinta fresca da impressão, alguns cavilosos erros de revisão. Tratava-se apenas de três ou quatro erros de crase e algumas vírgulas fora de lugar, mas o escritor, sensível como era, ficou em ânsias. Voltou imediatamente à tipografia, e lá, pacientemente, corrigiu a mão os exemplares que se destinavam à crítica e à imprensa.

Esta anedota faz lembrar outra, que lemos num jornal parisiense. A Condessa de Noailles, a grande poetisa morta não há muitos anos, achava-se certa ocasião na gare duma cidade da província, quando viu um cavalheiro comprar uma de suas obras no posto de livros da estação. A Condessa seguiu-o até o seu vagão e, já ele punha o pé no estribo para subir, quando ela lhe disse rapidamente: — *"Cuidado, Cavalheiro, há tremendo erro tipográfico no último verso da página 345."* Isso dizendo, rodou nos tacões e fugiu depressa.

Há erros de imprensa que produzem quiproquós divertidos, curiosos, ou quando não lamentáveis e até abomináveis. Em anterior capítulo fizemos referência a vários desses quiproquós que deixaram gloriosa memória. No livro ou no jornal, acontecem erros enormes, que parecem cometidos de propósito. Por quem? Pelo compositor? Por descuido voluntário do revisor? Nada disso, sem dúvida. Tais quiproquós, que fazem rabiar autores e leitores, ciosos dos textos limpos e corretos, são obra unicamente do mau acaso, obra do Diabo que frequenta as tipografias e se sente bem nesse clima propício a todas as impiedades.

É velhíssima a queixa contra a incorreção dos textos literários. Na Antiguidade, o processo de multiplicar livros tinha grandes inconvenientes. Os escravos escribas não copiavam o texto tendo-o à vista, mas ouvindo-o de outra pessoa que o ditava, e como, além disso, tinham de escrever fluentemente e com rapidez, deslizavam-se numerosos erros, já porque o copista não ouvia bem, já porque escrevia mal o que ouvia. Desses erros se lamentavam amargamente os autores antigos, tal qual acontece agora com os modernos. Ao irmão que perguntava se não podia enviar-lhe certos livros, respondia Cícero do seu retiro de Tusculum: — *"A respeito das obras latinas já não sei a quem acudir,* tão defeituosamente se escrevem e se vendem".

Por esse motivo, os que podiam, procuravam obter o manuscrito do autor ou uma das primeiras cópias, que costumavam ser mais caras que as demais.

Em fins do século XV até começos do XVII, a profissão de impressor e todas as artes correlatas eram exercidas por pessoas dotadas de gosto e saber. A esses representantes da idade heroica da Tipografia ficaram os bibliófilos a dever livros que, a todos os respeitos, são os mais corretos e os mais belos que já se fizeram. A função de revisor não era então desdenhada nem tida como de pequena importância. Verdadeiros doutos a exerciam. Ilustres impressores e editores da época, como os Aldos de Veneza, os Estiennes de Paris, famosos a um tempo como eruditos e como tipógrafos, não contentes de confiar a revisão de provas a homens capazes e experimentados na matéria, ainda tinham o costume de expor ao público as primeiras folhas impressas, oferecendo uma recompensa a quem descobrisse algum erro.

Quer dizer que não havia livros errados nesse tempo? Claro que os havia, e até mesmo erradíssimos. Um padre dominicano espanhol, de nome García, mandou imprimir em 1568 um inventário dos erros tipográficos que encontrara na Summa de Santo Tomás. A corrigenda do Padre García enchia a bagatela de cento e onze páginas.

Os autores e leitores muito exigentes têm de se resignar à ideia de que um texto tipograficamente perfeito é uma quimera. O Diabo parece que anda solto nas tipografias, e para evitar as suas malas-artes só vemos um meio: o de professar e praticar a Religião da Obra-bem-feita.

Sacerdote dessa religião era o bibliófilo espanhol Luís C. Viada y Lluch, autor de aforismos rimados acerca do amor aos livros, dos quais reproduzimos o seguinte, para epilogar este capítulo:

!Un buen libro!Media vida
precisa es para escribirlo,
y es necesario otra media
vida para corregirlo.

CAPÍTULO XXV

O escritor e as provas

Fantasmas que tiram o sono do escritor. Corrigir provas: prazer e tormento. Euclides da Cunha e a primeira edição dos Sertões. A pressa e os jornais errados. As seis provas de Renan e as oito de Anatole France. A "laboriosa felicidade". Eça de Queirós, Proust, James Joyce. Escrever é só uma metade, a outra é corrigir.

Escrever um livro é um tortura e um prazer. Mas não findam aí, quando se chega ao *fim,* ao *explicit,* ao *laus Deo,* os trabalhos e penas do autor. Vão recomeçar, com a correção de provas. Corrigir provas é um sofrimento, especialmente quando se trata de composição mecânica, em que a emenda de um lapso quase inocente, na linha, obrigando à recomposição da linha inteira, pode gerar novos e às vezes irremediáveis erros de imprensa.

Os fantasmas dos erros tipográficos tiram o sono aos escritores, principalmente aos que publicam pela primeira vez. O tímido e ansioso Euclides da Cunha foi atormentado por esses fantasmas temíveis quando publicou Os Sertões. Elói Pontes refere-se ao caso, na sua obra A Vida Dramática de Euclides da Cunha.

O escritor acompanhava, ansioso, a impressão de Os Sertões, feita pela Casa Laemmert. Lia e relia as provas tipográficas, retocando, suprimindo, emendando e tornando a emendar, inseguro, nada satisfeito com o seu trabalho nem com o trabalho do impressor. Enfim, deixando o Rio, regressa a Lorena, onde então se achava, e aguarda que a casa editora lhe comunique a conclusão da obra. Espera impaciente, febril. A comunicação chega. Euclides embarca imediatamente, em atropelo, trepidante de angústia. Mal desembarca, corre à oficina impressora, abre um volume e fica gelado de emoção ao encontrar defeitos de acentuação, erros de crase e outros pequenos lapsos que se lhe afiguram monstruosos e esmoralizantes. Ordena que adiem o aparecimento de seu livro, até que possa remediar em parte o mal.

"Com um canivete, mete-se na empresa, raspando oitenta erros em dois mil volumes! Dias e noites, dali não se afasta com assombro dos operários."

Aqueles descuidos de revisão serão o seu tormento, muitos dias, após o aparecimento do livro. Entre outros deslizes, haviam escapado à facão, à pranchadas, braço à braço, tempos à tempos.

Ao seu amigo e principal animador, Francisco Escobar, também inquieto com a quantidade e gravidade dos erros, escreve Euclides, amargurado e inconsolável:

"*Chamaste-me a atenção para vários descuidos dos Sertões; fui lê-lo com mais cuidado — e fiquei apavorado! Já não tenho coragem de o abrir mais. Em cada página o meu olhar fisga um erro, um acento importuno, uma vírgula vagabunda, um ponto e vírgula impertinente... Um horror! Quem sabe se isto não irá destruir todo o valor daquele pobre e estremecido livro?*"

Se num livro escapam sempre muitos erros, após as sucessivas revisões feitas pelo próprio autor, uns por sua culpa e outros por cochilo dos compositores, compreende-se que sejam tão numerosos e frequentes os lapsos que acontecem nos jornais, cuja revisão é apressada e feita em regra por pessoas incompetentes. Os jornais são o desespero dos escritores corretos e ciosos daquilo que escrevem e publicam. Estes não se resignam a escrever uma coisa e ver outra muito diferente nos periódicos em que colaboram. Os jornais brasileiros, então, com exceção de dois ou três do Rio e outros tantos de São Paulo, são talvez os jornais mais errados do mundo. Uma calamidade!

Certo desapreço pela correção da produção escrita, hoje comum, deve ter uma de suas causas no fato de serem também jornalistas quase todos os escritores. O autor escreve apressadamente e não revê o seu trabalho, antes de ser dado a público.

A única distinção que agora se pode fazer entre um escritor e um jornalista é esta: o escritor é o que corrige, ele próprio, as provas de seus escritos; o jornalista, não. O que o jornalista gatafunha, a toda pressa, mecanicamente, será revisto, com olho desatento e estremunhado, por um revisor desasnado incompletamente.

Para muitos escritores, a correção de provas é uma agonia. Há tanto que emendar, retocar, refundir, diante das provas recebidas da tipografia! Quantos não desejariam nessa hora agônica escrever de novo o livro? O impressor, porém, é que não está pela coisa e recomenda que se emende só o razoável, pois do contrário o prejuízo será levado à conta do autor.

Diante duma página de prosa nítida, singela, irrepreensível, o leitor não imagina a paciência que o autor consumiu para chegar a essa perfeição. E acontece com frequência que a forma aparentemente mais correntia e fluida é precisamente aquela que foi obtida mediante os mais penosos esforços.

Jean-Jacques Brousson, o mais indiscreto, mordaz e irreverente dos secretários, referiu-se em *Anatole France en pantoufles* à "laboriosa felicidade", que era o segredo da prosa límpida e elegante de seu amo e mestre.

— Sou como Renan, explicou-lhe Anatole France. O autor da Vida de Jesus rabiscava qualquer coisa e mandava o borrão para a tipografia. Vinham as provas. Renan corrigia uma, duas, três vezes... Na quinta, a coisa começava a tornar-se Renan. Eu cá, só na sexta, e, às vezes, na sétima. Exijo até oito provas. Que quer você? Sou desprovido de imaginação, mas não de paciência. Meus instrumentos de trabalho mais preciosos: a cola e a tesoura.

Primeiramente, com a sua letra montante, rangente, agressiva — informa Brousson —, Anatole France escrevia fosse o que fosse, em qualquer ponta de papel. O garabulho ia para o tipógrafo. Nas provas, começava o verdadeiro trabalho do escritor. Um retoque aqui, outro acolá, e súbito o esboço resplandecia.

Quem não viu ainda alguma fotografia de provas corrigidas por Eça de Queirós? O grande prosador era outro exemplo de "laboriosa felicidade". Torturado como Flaubert, seu mestre e modelo, escrevia três, quatro e mais vezes os originais e corrigia outras tantas as provas dos seus livros, crivando-as e dando-lhes enfim aquele matiz inconfundível e aquela sutileza peculiar à prosa queirosiana.

Entre os modernos, Marcel Proust martirizava como os seus originais datilografados, já que os seus livros, pela maior parte, só foram impressos depois da morte do romancista.

Vimos duas fotografias de provas de granel emendadas por James Joyce. São do *Work in Progress* (obra que o escritor inglês levou mais de nove anos a escrever) e estão de tal modo rabiscadas, que dificilmente o compositor teria entendido semelhante gatafunho.

Corrigir provas é um tormento, e também agradabilíssima distração. Para nós, para muitos, metade do prazer de escrever — metade, pelo menos, — acha-se exatamente na entretida e voluptuosa ocupação de corrigir os próprios escritos já em letra de forma. Cremos que pensarão da mesma maneira todos os escritores ainda não deformados pelo jornalismo apressado.

CAPÍTULO XXVI

Santo Eça, mártir das tipografias

O trabalho de Eça de Queirós sobre as provas tipográficas. A luta do escritor com editores e impressores. As vicissitudes e contrariedades da primeira impressão de *Os Maias*. Contínuas refundições do romancista e protestos do tipógrafo. Lamentações angustiosas de Eça, em cartas a Ramalho.

Entre os pensamentos de Joubert acha-se um que se pode interpretar como todo um preceituário de arte literária: *"On n'est correct qu'en corrigeant"*. Só corrigindo, só apurando os termos das proposições, é que se chega à correção dos pensamentos. Correção, a um tempo, da ideia e da expressão. Isto no seu mais amplo sentido.

Exatamente falando, a correção ou revisão é o asseio e o principal ornamento dos textos. Temos pois de convir que a nossa época não é nada cuidadosa ou asseada, neste particular, ao menos em comparação com as imediatamente anteriores. Não é só nos jornais (refiro-me aos brasileiros) que se nota hoje uma quase geral falta de asseio, pela pouca importância que se dá à composição e à revisão tipográfica. Até mesmo nos livros de escritores de bom crédito os textos costumam sair erradíssimos.

Rareiam agora os torturados da forma. O laborioso Flaubert, que suava *sang et eau* para compor uma página em oito dias, pertence positivamente a uma espécie extinta. Pulula agora o escritor *in natura,* que não trabalha o estilo, com receio de perder a sua bela espontaneidade, e verte sem filtros umas águas nem sempre potáveis. Esse não conhece o prazer e o tormento de rever o escrito, emendando e refundindo o texto, no original e nas provas até à hora da impressão.

Retocar, refazer o escrito, já em provas tipográficas, era a maneira de trabalhar de Eça de Queirós, como era a de Balzac e outros. E como Balzac, o autor do Primo Basílio escreveu pela necessidade de arrancar algum dinheiro das unhas cautelosas dos editores.

Mal ideava um livro, buscava quem o editasse e, combinado o negócio, mandava o trabalho para a tipografia, à proporção que o ia escrevendo. Vinham as primeiras provas, também aos poucos, e aí, sim, começava o verdadeiro trabalho do escritor, emendando, escrevendo tudo de novo, em busca da expressão adequada, na torturante procura do melhor. Os tipógrafos danavam-se. (Danam-se sempre. Não é preciso emendar muito para que se enfureça. Já pertenci a essa corporação de gente irritável: conheço-a bem).

O dono da oficina protestava contra tanta emenda. Vinham as segundas e terceiras. Novas emendas, novas reformas. Depois as quartas e as quintas. Mais refundições, outros protestos.

Como o romancista deve ter arreliado os tipógrafos! E como se arreliou e sofreu por causa deles! Seu sofrimento chegou a tornar-se dramático quando foi da primeira impressão de Os Maias. Eça de Queirós, cônsul na Inglaterra, sempre necessitando de dinheiro, aceitou a proposta que um amigo de Lisboa, o Malheiro, lhe fizera para a edição daquele romance. Proposta brilhante: uma firma editora publicaria o livro — seis mil exemplares para começar — e dividiria o lucro com o autor. O contrato, entretanto, não era feito entre o romancista e o editor, um tal Sequeira, mas entre este e o Malheiro, por intermédio do qual deveriam ir manuscritos, provas, notas ao revisor, etc. Negócio um tanto confuso que acabou em fracasso e aborreceu enormemente o escritor.

O caso é por ele contado em carta escrita de Bristol a Ramalho Ortigão. Conforme o ajustado com o editor, Eça de Queirós ia escrevendo e enviando os capítulos um a um, devendo as provas ser-lhe logo remetidas, sem demora. Enviados à tipografia os dois primeiros capítulos, setenta páginas de composição, esperou ele impacientemente as provas. Passa o tempo. Dois meses, três meses. Nada. Embora inquieto, remete o terceiro capítulo, mais trinta páginas de impressão. E continua a esperar. Nem provas, nem carta. Ansioso, escreve ao amigo Malheiro e depois ao editor Sequeira. Nenhuma resposta. Eça pede então a intervenção de Ramalho. Alarmado, perguntava, entre outras coisas: "Onde está o meu manuscrito?" Aflito, ajuntava: "Esta última pergunta é importante, porque, burro que sou, inutilizei o manuscrito inicial desses capítulos: só tenho a cópia que mandei."

O tal Malheiro pagara-lhe Os Maias, adiantadamente. Indo a Lisboa, Eça deslinda o negócio e assenta-o em novas bases, associando-se dessa vez, para a editoração do romance, a Ramalho Ortigão, que resgatara os compromissos do seu amigo com o Malheiro.

Não findaram aí os tormentos do romancista, às voltas com a tipografia. Em carta de 18 de maio de 1882, datada de Angers, queixa-se a Ramalho:

"Você lembra-se que há catorze meses justos, em março do ano passado, fomos à Tipografia Lallemant para combinar a impressão do *Maias*. Lembra-se também que, a esse tempo, existiam já na Tipografia, depositados lá pelo Malheiro, os três primeiros capítulos do Romance, de que se tinham feito umas provas infames? Pois bem! Esses três capítulos, mais o quarto, mais o começo do quinto, é tudo, absolutamente tudo, que até agora, depois de catorze meses, esse canalha do Lallemant tem imprimido!

"Depois de enunciar este simples fato, tão cruelmente eloquente, tudo mais que eu pudesse acrescentar seriam festões e ornatos. Pois eu não lhe falo do que tenho suportado a essa corja: as fastidiosas demoras de provas, as páginas de original saltadas em claro na composição, o grosseiro desdém por todas as minhas reclamações, o bestial propósito de nunca responderem às minhas cartas, os desleixos no trabalho, pois deixam as folhas impressas maculadas de erros, etc., etc., etc.

"Tudo isso, repito, é nada perante o fato grosso: em catorze meses, quatro capítulos impressos e o começo de outro! E note, querido Ramalho, que isto foi quase tudo feito num fugitivo momento de atividade, aí por setembro, depois de eu lhes ter chamado, numa carta, de ladrões..."

E mais, na mesma carta:

"Por outro lado, para não sobrecarregar a Tipografia, eu, que, trabalho principalmente sobre as provas, tenho-me abstido heroicamente de emendar à larga. (Devo fazer uma exceção para as últimas provas que remeti, realmente bastante alteradas). Mas levei o sacrifício mais longe: dispensei as segundas provas! Não recebo segundas provas, mas logo provas de página, fixas, que não permitem alteração. Tudo isso para quê? Para ter, no fim de catorze meses, quatro capítulos impressos!"

Pobre Eça! Quem escreva e publique compreenderá perfeitamente as suas consumições e indignações. Escrever é desoprimir-se? Será. Mas publicar é às vezes uma penosa *délivrance.* Na lida com editores e impressores começam os verdadeiros trabalhos do parto. Quem se imprime se oprime.

As lamentações do romancista são tocantes. Voltando à carta:

"Para mim, esta luta com uma tipografia, estas provas que é preciso arrancar à força de cartas e telegramas, esta tediosa suspensão de semanas, entre cada página, têm tido um efeito desastroso: como artista, têm-me enervado, têm-me desmoralizado. Estou terminando o romance, sem paixão, quase sem gosto, e portanto sem veia."

Para aqui o sofrimento do escritor, amofinado com a malfadada impressão dos *Maias*? Não, apenas começa.

Corre o tempo. Eça continua, no estrangeiro, à espera de notícias da tipografia. Pede providências a Ramalho, este dirige-se ao dono da oficina, o qual desaperta para a esquerda, atirando a culpa no chefe-tipógrafo, um tal Silva — "o abjeto Silva", como o trata o exasperado Eça.

Ramalho responde, com vagas promessas de que tudo entraria nos eixos.

Eça comenta:

"Agradeço-lhe o ter ido de novo afrontar o cinismo do Lallemant e o subcinismo do inferior Silva. Mas, pelo tom de resignação, e mesmo de melancolia, da sua carta, vejo que não há nada a esperar. Isto é, há de esperar isto: que, se Deus nos der a todos vida e saúde, cada dois meses eu lhe escreverei uma página de queixumes. Você irá à Rua do Tesouro Velho, o Lallemant chamará o abjeto Silva, tratá-lo-á como o último dos últimos, e far-me-á de novo a promessa solene que daí por diante dois tipógrafos serão exclusivamente empregados, etc., etc."

Não adianta pelejar. O escritor confessa-se exausto, derrotado, numa das suas angustiosas cartas a Ramalho:

"Assim aqui está a situação: quando remeto original, não o imprimem; quando, por acaso, o imprimem, perdem as provas; e, quando, por um duplo e estranho acaso, imprimem e não perdem – as provas que me mandam são uma tal mixórdia, que, recentemente, sou forçado a devolvê-las. Situação satisfatória não é verdade? Enfim, como não há nada a fazer, segundo se depreende da sua carta, instalemo-nos o mais confortavelmente possível numa suave resignação."

Quem queira inteirar-se do caso deverá ler na obra de Lopes d'Oliveira, *Eça de Queirós: História das suas obras contadas por ele próprio,* a parte intitulada "Como Eça escreveu *Os Maias*". Nessa excelente obra, indispensável na estante dos bons queirosistas, respigamos a matéria de todo este capítulo.

CAPÍTULO XXVII

Corrigir provas

Como deve organizar-se um bom serviço de revisão. Conselhos duma publicação inglesa. Nos tempos heroicos da Tipografia: o exemplo dos Manúcios, dos Estiennes, dos Gourmont, dos Plantin-Moretus. Revisores eruditos. O "olho tipográfico". A difícil escolha dum bom revisor. Vacilações ortográficas. A cacografia dominante.

Lemos em *Arts et* Métiers *Graphiques*, nº 66, a seguinte notícia: "Uma útil publicação inglesa, consagrada às artes e ofícios gráficos, *The British Printer,* trouxe num de seus números mais recentes um artigo sobre a instalação do serviço de revisão. Cortamos este fragmento:

"O estabelecimento deve fornecer a seus revisores uma biblioteca completa, mantida em dia e constituída de obras de documentação, tais como *Who's who* (espécie de Bottin ou *Qui êtesvous*?), o *Almanaque Whitaker, o Grande Dicionário Enciclopédico Larousse e Artísticos* (célebre obra inglesa de grande erudição), as obras completas dos poetas ingleses, dicionários latino, grego e de línguas modernas e, bem se vê, a *Enciclopédia Britânica e o Dicionário de Biografias Nacionais e Estrangeiras.* A dizer verdade, só indicamos aqui o estrito mínimo do que nos parece indispensável ao trabalho normal dum revisor consciencioso, que queira evitar os erros mais grosseiros na sua caça aos cochilos do compositor..."

Seria de desejar (comenta a revista francesa na qual colhemos a notícia) que se achasse alguém suficientemente autorizado para, dar os mesmos conselhos aos revisores franceses, os quais, de ordinário, não parecem ligar muita importância a esta parte de seu ofício.

Se os franceses se queixam de que não possuem revisores *comme il faut*, que havemos de dizer nós, no Brasil, onde o serviço de revisão de provas é confiado quase sempre a pessoas sem competência, inaptas para o exercício duma tarefa que exige qualidades especiais de zelo, perspicácia e variado saber.

Armado com aquelas obras de informação e erudição, que a revista inglesa citada aconselha como *minimum* dos instrumentos de trabalho necessário aos revisores tipográficos, qualquer indivíduo, em nossa terra, se julgaria habilitado a ser, não um obscuro corretor de imprensa, mas jornalista, escritor, autor de livros, catedrático de faculdades... Pela maior parte, os revisores de nossos estabelecimentos tipográficos ou da imprensa periódica ignoram, até, o uso dos simples dicionários da língua nacional.

Só os revisores? Não, certamente. Existem jornalistas e escritores, mesmo entre os mais pintados, que jamais sentiram a necessidade de abrir um dicionário, ou qualquer obra de informação. Escrevem o que lhes vem à cabeça, fluentemente, sem vacilação, sem embaraço! São criaturas privilegiadas, que parecem haver nascido com o dom da adivinhação! Nunca se enganam, nunca erram, os felizardos. E riem-se, com pena, dos que vivem a consultar o dicionário, "o Pai dos Burros", como dizem.

Se há tantos jornalistas e escritores mal preparados, descuidados e relaxados, mais necessários ainda se tornam os bons corretores de provas. Antigamente, não só as tipografias, como as casas editoras, confiavam a leitura de provas a empregados instruídos e experientes, conhecedores das particularidades da composição, dotados do que se chama o "olho tipográfico".

Nos tempos heroicos da Tipografia, em que os Estiennes, os Manúcios, os Gourmont, os Plantin-Moretus se notabilizaram, a uma só vez, como eruditos e como impressores, todos extremamente zelosos da pureza de suas edições, houve um, Roberto Estienne, que, após haver lido, relido e tornado a ler, vezes e vezes, as provas do que se compunha no seu estabelecimento, pregava-as à porta e oferecia um prêmio, "cinco soldos", por erro que lhe indicassem. Na casa desse sábio filólogo e mestre-impressor, a revisão era feita por um decenvirato de homens de letras de todas as noções, em maioria ilustres. Um deles foi o grego Lascaris; outro Rhenanus, o historiador da Alemanha; o aquinate Ranconet, depois presidente do parlamento de Paris; Musuus, que Leão X fez arcebispo, etc. Assim o explica Michelet, citado num manual tipográfico que temos à mão.

O revisor, lemos nesse manual, é uma criatura anônima como todos os trabalhadores; criatura paciente, laboriosa, que há de entender de tudo, precisa conhecer idiomas, há de ter variadas tinturas literárias e deve trabalhar com verdadeira vocação, atento ao seu trabalho.

Seu lema deverá ser: *age quod agis*, isto é, faze o que estás fazendo no momento, não te distraias em outra coisa; aplica toda a tua atenção, porque ao mais ligeiro descuido, lá se escapa um erro, às vezes grave e sem remédio.

O revisor costuma sair da classe tipográfica, forma-se na mesma tipografia, na maioria dos casos, ainda que nem sempre assim aconteça. Neste último caso, porém, quando o revisor não é do ofício, por mais ilustrado que seja, e ainda que advogado, doutor em filosofia e letras, humanista, ou profissional da pena, tem contra si muitos inconvenientes. Em primeiro lugar, mal pode servir de guia ou consultor para o caixista ou linotipista, se não sabe o que seja o ponto tipográfico, o cícero, e ignora as regras do ofício. Por outra parte, não conhecerá as letras que não são do corpo, os caracteres caldeados e as muitas dificuldades que na prática se apresentam.

O revisor precisa entender de tudo. Hoje corrige uma obra de Ciência (Medicina, Astronomia, Geografia, Química, Matemática), amanhã uma de Arte, no outro dia um romance, logo uma revista de modas, um dicionário e, se não tem conhecimentos enciclopédicos, embora muitíssimo gerais, como poderá exercera sua tarefa com a segurança, o tato e a sagacidade indispensáveis?

São estas as qualidades que em geral se exigem do corretor de provas. Na Europa, bem entendido.

Entre nós não se requer habilitação alguma. Qualquer um serve, desde que precise do emprego e saiba ler por cima...

Por isso, os erros que escapam ao linotipista passam todos, incólumes, sob o olhar do revisor desatento e inepto.

Experimentem escrever, por exemplo, "estilo românico", ou "o romanista Fulano". Há noventa probabilidades em cem que saia impresso "estilo romântico" e "o romancista Fulano". Por quê? Naturalmente porque o revisor não conhece aquelas palavras, aliás nada raras.

E a ortografia? Nem é bom lembrar.

Gritava-se contra a balbúrdia existente na escrita tradicional. Pedia-se uma grafia uniforme, padronizada e, de preferência, simplificada. Veio a ortografia do famoso Acordo, que logo originou entre nós sucessivos desacordos e novas tentativas de acordo, frustradas.

A balbúrdia era só no campo da ortografia usual, no Brasil. Ao adotarmos, porém, com perniciosas alterações, a excelente reforma portuguesa, introduzimos também nesse campo a dúvida e a confusão. Em vez de nos fixarmos numa fórmula definitiva, voltamos atrás mais duma feita, e continuamos ainda a vacilar na escolha dum padrão uniforme de escrita. Resultado: anarquia, cada dia maior, na grafia antiga; anarquia, tendente a aumentar, na grafia nova.

Os tipógrafos e revisores andam naturalmente tontos. Se se trata da simplificada, simplificam arbitrariamente, por palpite, a exemplo aliás dos que nela escrevem. Se o caso é da grafia tradicional, caem no disparate, dobram letras que nunca se dobraram, escrevem "lybello", lydimo", "lyxo" com "y", "phanatico", "olphatto", "phirmamento", com "ph", etc. etc.

Tudo concorre, enfim, para transformar os nossos jornais — exceto pouquíssimos — em vastos *pastéis* tipográficos, em monstruosas cacografias da primeira linha à derradeira.

CAPÍTULO XXVIII

A indumentária do livro

A brochura, a encadernação e a cartonagem O livro inglês e o francês. Um palpite filológico. A encadernação individual. Pró e contra a encadernação. A encadernação de luxo. Uma advertência de Lesné.

A superioridade das edições inglesas e norte-americanas — e também das alemãs e de outros países nórdicos— consistem na encadernação como parte integrante do livro. O livro é colocado nas livrarias já encadernado, quase sempre em percalina, ao passo que o livro francês, o italiano, o espanhol, o português, assim como o brasileiro e o hispano-americano, são postos no comércio, usualmente, em forma de brochura. Ora, a brochura é uma forma inacabada ou provisória do livro. É o livro em pijama ou *robe-de chambre.* Sua indumentária decorosa, apresentável, é a encadernação.

As melhores casas editoras francesas, Hachette, Larousse, Delagrave, A. Colin, Plon, acompanham em parte o exemplo inglês e lançam no mercado belas cartonagens a preços razoáveis. Mas o comum é a simples brochura.

Por que não seguem os editores dos países latinos a tradição dos germânicos e anglo-saxões?

Já se buscou para o caso uma explicação filológica. É a seguinte: todos os países onde o livro é habitualmente posto à venda já encadernado possuem termo semelhante ao inglês book: em sueco, bok; em holandês, boek; em alemão, buch. Ao revés disso, nos países onde o vocábulo que o designa deriva do latim *liber*, isto é, *livre* em francês, *libro* em italiano e espanhol e livro em português, é geral o uso da brochura. A etimologia dos dois vocábulos explicaria a diferença, pois book se originaria de beech (casca de árvore, ou tabuinha), o que é duvidoso, e teria relação com as sólidas tábuas que os povos germânicos utilizavam para escrever. De outra parte, o significado de *liber* é o da entrecasca ou membrana vegetal, empregada na escrita pelos romanos na Antiguidade. A matéria da escrita, no primeiro caso, era sólida, encorpada e relativamente durável. Disso teria resultado certa presunção de que os *books* são mais resistentes que os *libri.*

A explicação é inconsciente e demasiado simplista. Com a mesma aparência de razão, é fácil contrapor-se-lhe outra, igualmente de caráter histórico e etimológico. Os alemães antigos usaram efetivamente a madeira como matéria de escrita. Mas também os romanos (assim como os gregos) fizeram frequente uso da madeira para os seus escritos, como bem o demonstra o sentido da palavra latina *codex*, tabuinha de escrever, o mesmo que *caudex*, tronco de árvore, ajuntamento de tábuas. Escrevia-se em tabuinhas, revestidas de gesso ou cera, e isto enquanto não se empregou o papiro. Depois, abandonado o rolo de papiro como forma de livro, já na época do pergaminho, chamou-se códice ao manuscrito em forma de caderno, paginado e foliado, e assim persistiu até a invenção da arte de imprimir.

Qual então o verdadeiro motivo de oferecerem os editores anglo-saxões, germânicos ou nórdicos o livro encadernado, em série, por um preço igual ou pouco superior ao do livro brochado dos povos de tradição latina?

O motivo, evidentemente, só pode ser de ordem econômica e técnica. O preço do livro está em função da tiragem, e naqueles países lê-se mais, muito mais que nos outros a que aludimos. O papel é mais barato; lá, porque o produzem em condições mais favoráveis e em quantidades maiores. O aparelhamento técnico é também, geralmente, superior ao de outras partes.

A produção em grande escala põe o editor inglês ou norte-americano em condições de oferecer a um vastíssimo círculo de leitores, por preço módico, obras bem impressas em bom papel e excelentemente encadernadas em percalina. Não se comparam sempre às obras de luxo ou refinadamente artísticas, caríssimas saídas de imprensas novilatinas. São, porém, incomparavelmente superiores às que as imprensas desta procedência destinam ao leitor comum, obras não encadernadas, vendidas por preços que nada têm de módicos.

Neste caso, fica o amigo dos livros em face desta alternativa: encadernar, ou não encadernar. Só a encadernação em série não é cara. A feita por encomenda torna-se excessivamente onerosa. A meia-encadernação mais simples, com lombo de couro barato, costuma ficar pelo preço do livro. Para os ricos, a coisa não constitui problema. Mas é dos outros que me estou lembrando. Por que havemos de gastar um dinheirão com a encadernação de nossas brochuras, se com esse dinheiro podemos comprar outras obras? Já um livreiro francês do século XVIII, S. Mercier, escrevia o seguinte contra a encadernação:

"Os livros são amigos que devemos tratar familiarmente. As encadernações artísticas e as de luxo são seus piores inimigos. Se existe um ofício inútil no mundo é o dos encadernadores, os quais contribuem para o encarecimento do livro e dificultam o seu uso. Com a importância despendida em belas encadernações, pode-se adquirir uma boa biblioteca. Os livros bem encadernados compram-se como porcelanas de Sèvres ou figurinhas chinesas, para mostrá-las depois como adornos de mesa ou peças de vitrina. Os livros são comprados para ser lidos e relidos. Um Horácio completamente novo só pode pertencer a um perfeito idiota. A encadernação é para o livro o que a libré é para o lacaio: estando bem vestido por fora, o que está por dentro importa pouco."

Razões de sujeito ranheta, que não podem ser tomadas a sério. É verdade que se referia às encadernações de luxo, com a intenção de zombar dos maníacos que colecionam livros caros por mera ostentação. Fora daí, como negar que as belas encadernações têm seu valor e seu preço como objetos de arte? Os bibliófilos, ao mandarem encadernar seus livros luxuosamente, requerem o concurso de algum bom artista, perito na aplicação do suave marroquim, da macia vitela ou de outra finíssima pele, e esperam do dourador a criação de alguma coisa que se aproxime das maravilhas artísticas que deram renome aos Grolier, aos Krause, ao Meuser e aos Thouvenin, em tempos distantes, e aos Marius Michel, aos Legrain, aos Kieffer e aos Kersten, no presente século.

A encadernação não só completa o livro, como também o dignifica e conserva. Em bibliotecas particulares, os livros em brochura não têm maior inconveniência, a não ser a de sofrerem em demasia a ação da luz e da poeira, que os amarelece e afeia. E têm certa vantagem: são menos atacados pelos insetos papirógrafos. Nas públicas, o caso é muito diverso: o livro deve estar encadernado antes de ser facultado aos consultantes. O livro brochado dilacera-se rapidamente nas mãos dos diferentes leitores.

*

Ninguém se fie cegamente do seu encadernador, por competente que seja. O mínimo que acontece é voltarem os livros com as margens excessivamente aparadas. Com frequência a guilhotina do encadernador mutila os volumes, sem remédio, aparando-os muito além do estritamente necessário. Adeus, margens grandes e belas!

As grandes margens realçam e embelezam a página impressa, consoante o jogo eurítimico do claro e do escuro. Seu valor prático é óbvio: permitem que se encaderne o livro, sendo preciso, maior número de vezes; prolongam, portanto, a sua duração.

Para conservá-las — aconselha Albert Cim, o mais conhecido tratadista da Arte do Livro, — deve recomendar-se ao encadernador que se limite a aparar e jaspear a cabeça dos livros, grosando a frente e o pé. Apare-se a cabeça ligeiramente, o bastante para igualar a superfície, de modo que a poeira não penetre muito no livro, e por isto convém dourá-la ou pintá-la, bruni-la ou jaspeá-la. Quanto aos dicionários, enciclopédias, manuais e outras obras de referência, frequentemente manuseadas, será útil apará-los em todos os cortes — cabeça, frente e pé, para serem folheados com facilidade. Aconselha também a encadernar os livros com a capa da brochura, de maneira que cada volume conserve sua integridade original. Nada deve suprimir-se, nem mesmo anúncios internos, se os houve, pois podem conter indicações que venham a interessar.

Antes de tudo, poupem-se as margens. Um dos primeiros historiadores da encadernação, Lesné, já o advertia no seu poema didático *La Reliure,* em seis cantos:

Dans tout livre la marge est ce qui plaît aux yeux...
Un livre trop rogné jamais ne se répare.

CAPÍTULO XXIX

Lapsos, disparates, bernardices

Erros mais graves que os dos compositores: os lapsos, deslizes e tolices dos autores. Não há escritor impecável. O *sottisier* de Voltaire. A Americana de Mencken. Agripino Grieco e suas aventuras de pescador de pérolas. O dossier de la *bêtise humaine*, de Flaubert. Disparates de escritores célebres. Asneiras, sim, mas ditas com engenho e arte.

Os escritores e jornalistas estão sempre de quisília com tipógrafos e revisores por causa das incorreções que estes deixam escapar nos textos impressos. Os erros tipográficos, embora comuníssimos e quase inevitáveis, tiram em grande parte o prazer de quem escreve e de quem lê. Mas não são estes os únicos senões que podem ocorrer. Mais graves que os erros cometidos pelos caixistas ou linotipistas costumam ser os lapsos ou deslizes em que às vezes incorrem os autores, por ignorância, descuido, carência de gosto, ou falta de discernimento crítico. Os erros tipográficos, na maioria dos casos, são perdoáveis e fáceis de corrigir pelo leitor inteligente, mas não acontece o mesmo com os desacertos, equívocos, disparates e bernardices dos autores. As incorreções desta natureza podem também perdoar-se, mas não têm conserto. O leitor que as percebe é levado naturalmente, por filáucia, a experimentar certo sentimentozinho de superioridade sobre quem as comete. Ri-se dele e fia menos das suas capacidades, mesmo quando sabe que as negligências e inadvertências — e até as mais solenes asneiras — não são raras nos melhores escritores, sem que isto lhes diminua o mérito. E tanto assim é que um escritor impecável deve ser considerado mais raro que o corvo branco: *albo corvo rarior*, como se dizia antigamente em latim para significar a extrema raridade de alguma coisa.

O abuso do lugar-comum, o emprego irrefletido de certas locuções usuais, os pleonasmos e mais impropriedades de linguagem, as extravagâncias de estilo, as associações estrambóticas, as cincas e os equívocos, enfim as variadas formas da tolice escrita e da monstruosidade literária fornecem matéria que farte para os que se divertem em colecionar os espécimes mais representativos ou engraçados da toleima humana. E conhecem-se famosos colecionadores deste gênero, desde Voltaire, a quem se deve o primeiro *sottisier*, até H. — L. Mencken com a sua *Americana* antologia periódica das imbecilidades do homem médio da terra de Babitt. Marcel Schwob deixou uma curiosa coleção "topos" asnáticos e o *Mercure de France* mantinha cuidadosamente em dia, para gáudio de seus leitores, o registro das cincas e o arquivo das bernardices escritas. E não podíamos esquecer o nosso agudo e cáustico Agripino Grieco, que de quando em quando empreende excursões aos livros alheios em busca de engraçados disparates e conta-nos depois as suas alegres "aventuras de um pescador de pérolas".

Flauber pensou em organizar um vasto *dossier de la bêtise humaine,* do qual Maupassant chegou a publicar alguns extratos. Esse inventário, entretanto, não foi nem poderia ter sido levado a termo, por ser empresa superior às forças dum homem. Só o trabalho que lhe davam alguns contemporâneos ilustres, como Jules Janin, Legouvé, Scribe, era para desanimar qualquer. De Jules Janin, qualificado então como o Príncipe da Crítica, dizia-se que tinha "horror à exatidão". No recenseamento muito incompleto das suas "incríveis asnices" figuram, entre outras, as seguintes: fez desaguar ao Norte da França o Rio Ródano, que desemboca no Sul; deu como ilha a cidade de Esmirna e indicou o oceano Atlântico como lago francês; referiu-se a Aníbal derrotando os romanos na cidade francesa de Cannes, confundida com a italiana de Capuz em cujas "delícias" se deixou aletargar o guerreiro cartaginês; ofendeu a cronologia, apontando Luís XI, nascido em 1423, como perseguidor de Abelardo, nascido três séculos e pouco antes daquele monarca; São João Crisóstomo, natural de Antioquia (Ásia), foi comparado pelo escritor a um "Bossuet *africano*"... etc. etc.

O teatrólogo Eugène Scribe, que escreveu muito e teve portanto inúmeras ocasiões de errar — aliás bem aproveitadas, dizia-se, por esse escritor fácil e incorreto, — Scribe, ao fazer o seu discurso de recepção na Academia Francesa, censurou Molière por não haver aludido, em nenhuma de suas obras, à revogação do edito de Nantes. Ora o genial comediógrafo só poderia ter articulado aquela censura por intermédio de algum médium do tempo, pois o famoso edito foi revogado doze anos após a "desencarnação" de Molière.

Não há maior imprudência do que confiar cegamente na memória, companheira invariavelmente infiel. Ernest Legouvé, que jurava pela fidelidade da sua, foi por ela traído vezes sem conta. Em dois livros que escreveu, muito lidos outrora, *Arte da Leitura e Leitura em Ação*, citavam-se numerosos versos de autores clássicos, mas a cada passo truncados e estropiados. Isto acontecia com os versos mais conhecidos, porque Legouvé os reproduzia de cor, supondo conhecê-los na ponta da língua. Não teria confiado tanto se acaso conhecesse a definição do humorista, segundo a qual a memória é "a faculdade de esquecer". Mas o humorista que assim a definiu — devemos esclarecer por amor à cronologia — ainda não era nascido quando Legouvé escrevia.

As distrações de Vítor Hugo ficaram célebres e eram tão numerosas que nenhum curioso poderia ter a pretensão de colecioná-las todas. Nas *Orientais* descreve um banco de gelo que se derrete *"comme un glaçon froid"* — como se a onda não fosse invariavelmente úmida! Em outra parte refere-se aos minaretes da cidade espanhola de Alicante, onde não há nem sombra de minarete. *Na Legenda dos Séculos,* Carlos Magno, morto em 814, compara alguém a um *"clerc en Sorbonne"*, quando esta só foi fundada quatro séculos depois.

Por falarmos agora dum grande escritor da nossa língua, Camilo Castelo Branco, foi ele rico e abundante em tudo, até em lapsos e deslizes de escrita. Acerca dos seus erros gramaticais já se escreveram livros. Podiam escrever-se igualmente a respeito de cochilos de outras naturezas. Nas *Memórias do Cárcere*, ao pintar uma beleza feminina, fala o escritor em *"porções essenciais da mulher, que só atinge o belo quando vem amoldada formas perpetuadas por Milo ou Rafael"*. Por inadvertência, Camilo incorria num erro frequente em muitos escritores: o de supor que Milo fora o nome dum escultor, quando na verdade é o da ilha em que se achou a famosa estátua. Em *Ratos da Inquisição*, escreveu Camilo, como se ignorasse que os intestinos são por definição vísceras abdominais: "O lume ia ascendendo dos intestinos abdominais em ebulição até ao peito"

No romance *O Sangue*, refere-se a "um fazendeiro proprietário de roças de cacau no Pará". Mais adiante, alude "aos dez meses da gestação humana" e um pouco além assevera calmamente que certo sujeito "desfazia e refazia as articulações em ginástica". Em *Cenas da Foz*, acha-se este puro "bestialógico" de calouro de medicina: "A minha angústia era vaga e misteriosa como a da calhandra e a do calhandro e de todas a variedade de animais que têm bico ou barbatanas, tromba ou lábios ou qualquer orifício respiratório por onde possam respirar e gemer"...

A vastíssima obra de Camilo é uma rica costeira onde os pescadores de pérolas têm muitas preciosidades que pescar. A de Eça de Queirós, também, nada tem de pobre. Se em Camilo encontramos esta comparação: "azedos como malaguetas", em Eça topamos esta novidade de medicina caseira: "para indigestões lá havia o bicarbonato de potassa". Descrevendo a morte de Jesus, no sonho de Teodorico Raposo, Eça pintou o Rabi já depois de lhe haverem trespassado as mãos na cruz, tomando a malga da mulher de Rosmofin... Na *Ilustre Casa de Ramires* há uma menina,

Rosinha, que a certa altura do livro tem doze anos e é filha do Visconde do Rio Manso, e poucas páginas adiante só tem pouco mais de onze anos e é neta do dito Visconde e como neta permanece até que passados quatro anos volta a figurar como filha do mesmíssimo Visconde. Em *A cidade e as Serras* há também trocas e confusões de personagens.

O romancista Bernardo Guimarães, conforme a observação do seu biógrafo Basílio de Magalhães, fantasiou, em *Pão de Ouro*, uma cabilda de índios *tatus brancos*, nictálopes e disformes, que nunca existiram no Brasil.

Se passarmos dos escritores de imaginação aos chamados escritores de ideias, aos críticos, aos ensaístas políticos, aos sociólogos, aos teoristas e doutrinadores de toda espécie, aos publicistas em geral, então, sim cairemos em pleno disparatário.

E se apurarmos rigorosamente as coisas, chegaremos talvez à verificação de que os homens que escrevem, sobretudo os literatos, só dizem bobagens a maior parte do tempo. O que vale é que, nos melhores casos, sabem dizê-las com engenho e arte.

CAPÍTULO XXX

Escritores impressores

Um poeta que "compõe" seus versos: Altolaguirre. Uma mulher letrada que imprime. O hobby de Virgínia Woolf. A imprensa Elzeviriana do historiador José Toríbio Medina. O poeta Herreros imprime e vende os próprios versos. A norma de G. B. Shaw. A Oficina Arbuterana, de Horace Walpole. A história da arte de imprimir é um capítulo da história literária. Cristovão Plantin, protótipo do grande mestre impressor e erudito literário. Jean Grave. Pablo Iglesias. Péguy. Tomás Brandão. Rétif de la Bretonne.

Na geração dos poetas espanhóis que fizeram nome de 1930 a esta parte,— a geração brilhantíssima de Rafael Alberti, Jorge Guillén, Pedro Salinas, Gerardo Diego, Aleixandre, Luís Cernuda e do grande e malogrado Federico García Lorca — figura um lírico de primeira ordem, Manuel Altolaguirre, moço excêntrico e um tanto disponível, que entre as suas fantasias realizou, algum tempo, aquilo que a nosso ver deveria ser ideal de quantos escrevem versos ou mesmo prosas.

Uma distinta poetisa argentina, Margarita Abella Caprile, contou como conhecera Manuel Altolaguirre em Paris, pouco antes da revolução espanhola e do conflito mundial que se lhe seguiu. O moço era visto sempre a sobraçar uma pasta, de que retirava, em presença dos amigos, uns cadernos de fino papel, envolvidos em capas de cores, nos quais havia impresso a mão, durante o dia, seus próprios versos, utilizando-se duma pequena tipografia portátil que completava o mobiliário de sua residência. Altolaguirre imprimia, primorosamente, não só os próprios versos, como tinha ainda o capricho de dar à estampa composições seletas de outros poetas seus compatriotas, na maioria, ou estrangeiros de língua espanhola. Como os artífices da primeira idade da Tipografia, realizava o seu trabalho com pachorra e amor, compondo sem pressa e tirando à luz, com decoro, nos belos papéis que escolhia para as suas impressões: o Lafuma, o Ingres, o de Madagáscar. Chegou por esta forma a compor uma antologia do melhor gosto, intitulada Poesia, que constava, até 1937, de cinco folhetos, três pequenos e dois de grande formato.

O homem é inteligente porque tem mãos. O esteta Ruskin queria que o homem pudesse tecer com suas próprias mãos o pano do trajo que havia de vestir. Manuel Altolaguirre, compondo-se e imprimindo-se, realizava aquele ideal como poeta.

Poucos anos há, uma distintíssima dama uruguaia, a Senhora Elvira Suffern de San Martín, apaixonando-se pela arte de imprimir, dedicou-se pessoalmente a trabalhos tipográficos, e deste modo imprimiu, com as suas mãos aristocráticas, em um velho prelo manual, duas edições limitadíssimas: uma do fragmento sobre *A origem da alma do Fédon* de Platão, extraído da versão castelhana de Azcárate; outra, em francês do *Tratado Sobre as Paixões do Amor,* de Pascal.

Celebrando a alta lição desta dama impressora, assim escreveu o escritor Eugênio d´Ors: “Uma mulher que imprime manualmente afigura-se-me a desculpa e como a compensação desses milhões de mulheres que hoje escrevem a máquina.”

Vem a propósito lembrar que a Tipografia era o hobby de Virgínia Woolf, um dos mais cotados valores da crítica literária, do ensaio e do romance na Inglaterra de entre as duas guerras. Seu interesse pela arte de imprimir levou-a a fundar, há vários lustros, em companhia de seu marido, o romancista Leonard Woolf, a conhecida Hogarth Press.

Em um artigo de Ricardo Donoso, publicado nos *Anales de la Universidad de Chile*, volume dedicado à Primeira Exposição do Livro Americano e Espanhol, promovida por aquela Casa Universitária, em 1936, lemos que o mais benemérito e ilustre dos publicistas chilenos, o insigne bibliógrafo e historiador José Toríbio Medina, teve em sua própria casa uma tipografia particular, por ele denominada *Imprenta Elzeviriana*, em homenagem aos famosos impressores dos séculos XVI e XVII que popularizaram os belos caracteres gravados por Van Dyck e que ainda hoje são conhecidos pelo nome de Elzevir. Nessa tipografia, informa Donoso, viu a luz em 1910 o primeiro volume da monumental edição crítica, realizada por Medina, da imortal epopeia de Alonso de Ercilla, *La Araucana* o primeiro livro genuinamente americano e o melhor dos poemas históricos espanhóis. A notável edição, chamada do Centenário, impressa in-folio com papel e caracteres especialmente confeccionados para tal fim, deve ser hoje bastante rara, pois quando apareceu só tiveram a fortuna de possuí-la os mais preclaros homens da literatura universal.

Os escritores principiantes, sobretudo quando são pobres e carecem de boas relações, e especialmente se são poetas, raramente encontram editor para os livros que escrevem. E quem se quer dar ao luxo de se ver impresso e lançado ao público paga por bom preço a satisfação dessa vaidade. Ora, quem escrever quer ser lido, ainda que seja por imbecis. E cada qual considera a sua obra como digna de ser conhecida de cem mil leitores. Ah, o editor e o impressor que não amparam os talentos novos. É um problema quase insolúvel para muitos que principiam. Para os poetas, a coisa não é tão difícil. Um caderninho de poemas, em pequena tiragem, pode imprimir-se facilmente, com pouca despesa, em qualquer tipografiazinha. O próprio autor, se sabe a arte tipográfica — tão fácil de aprender e tão agradável de exercer —, poderá compor ele mesmo os seus versos e imprimi-los num caderninho de poucos fólios. É um meio a que muitos têm recorrido.

Em seu livro *Cultura Hispano-Americana,* B. Sánchez-Sáez faz uma referência ao poeta espanhol Pedro Herreros, filho de pastores, que emigrou cedo para Argentina e lá publicou seu primeiro volume de versos, *El libro de los desenfados.* Herreros não tinha dinheiro para mandá-lo imprimir, mas encontrou um amigo, dono de pequena tipografia, que a pôs à disposição do poeta para que ele próprio imprimisse seus versos. Herreros aceitou o oferecimento, aprendeu a arte tipográfica e, em horas vagas da noite, compunha seu livro e uma folha volante de versos — *La hoja satírica* —, impressa semanalmente, que ele próprio vendia por dez centavos nos lugares mais frequentados de Buenos Aires.

Sem chegar à perfeição de ser o impressor das próprias obras houve tempo em que George Bernard Shaw escolhia o tipo e formato de seus livros, pagava ele mesmo os seus impressores e entregava os livros já feitos ao seu editor, para a distribuição.

Para um escritor, não cremos que possa haver tarefa mais agradável que a de escolher tipos, papéis, tintas, considerar formatos, medir margens, calcular efeitos. * Compreende-se, por isto, o capricho dum aristocrata, grande homem de letras, como foi Horácio Walpole, que estabeleceu no seu castelo gótico de Strawberry Hill uma tipografia para uso particular, a "Oficina Arbuterana". Apaixonado bibliófilo, o autor de *O Castelo de Otranto* sonhava com a glória dos grandes impressores do passado, Aldo Manúcio, Elzevir, Stephens... O amor aos livros raros levara-o a imaginar edições preciosas, surgidas dos prelos de Strawberry. A primeira obra impressa na oficina do castelo foi um folheto com duas odes de Gray: O *Bardo* e O *Progresso da Poesia*, duas odes pindáricas, sublimes, ainda que um pouco obscuras, segundo Walpole. O literato fidalgo tinha a seu serviço um operário irlandês, pau para toda obra, e um rapaz aprendiz. O trabalho era lento, porém escrupuloso. As tiragens, em geral reduzidas, iam de 200

* "Une oeuvre littéraire est aussi une oeuvre typographique. Qui ne se soucie de donner un fini à son oeuvre, en utilisant toutes les ressources de l'imprimerie, me semble ne pas attacher grande importance à cette oeuvre. Si j'en avais le temps, j'imprimerais moi-même mes livres." — H. Pérruchot "Le scribe accroupi", in Revue Méditerranée, Paris, Alger, nº 62, 1954, p. 392.

a 700 exemplares. Isso não obstante, foi notável a atividade da pequena oficina tipográfica de Sir Walpole, a quem chamaram Elzvir-Horácio, por causa das suas veleidades de grande impressor.

Aí temos como um aristocrata inglês da mais alta prosápia punha a sua maior ambição em ser o igual dos mestres-impressores dos primeiros séculos da Tipografia, quando os príncipes se compraziam em dar nobreza aos artistas do tórculo e os homens da corporação tipográfica tinham o direito de usar a espada. E realmente mereciam a distinção, por se tratar duma corporação de escol entre as demais corporações de ofícios. Em nenhuma outra, como na tipográfica, o trabalho manual se fundia mais intimamente com o trabalho intelectual. As leis que a regiam, outrora, obrigavam aqueles que a exercessem — mestres e companheiros, estes últimos candidatos à mestrança — a conhecer devidamente o latim e a saber ao menos ler o grego, mínimo de instrução indispensável para a execução honesta das obras clássicas ou religiosas, então escritas frequentemente nessas duas línguas, sem falar das obras em vulgar, recheadas de citações eruditas. Todo impressor era havido como capaz de compreender o que imprimia. A ciência dos tipógrafos não era factícia: todos haviam feito as suas humanidades, nutridos do leite rico da Antiguidade; muitos escreviam, ou quando nada traduziam. Eram enfim, de alguma forma, os iguais de seus clientes letrados.

A história da arte de imprimir é um capítulo da história literária. Muitos impressores e livreiros, os Pré, os Marnef, os Plantin-Moretus, os Vérard, os Gourmont, os Kerner, os Estienne, eram às vezes eruditos, e homens de estudo e de gosto, sempre. E tinham todos aquela religião indispensável aos impressores: a da obra bem acabada.

Cristóvão Plantin, impressor e editor francês do século dezesseis, que se estabeleceu em Antuérpia e teve sucursais em Paris e Leide, pode representar o protótipo do erudito impressor. Felipe II da Espanha nomeou-o seu primeiro impressor e o encarregou da reimpressão da célebre *Bíblia Poliglota* de Alcalá, considerada depois a sua edição mais notável, uma obra-prima tipográfica. O nome de Cristóvão Plantin está ligado também ao famoso soneto em que ele, já alcançada a plenitude da sensatez, definiu a posição do homem cordato em face da vida. Vale relembrá-lo sempre:

Avoir une maison commode, propre et belle,
Un jardin tapissé d'espaliers odorans,
Des fruits, d 'excellent vin, peu de train, peu d'enfants
Posseder seul sans bruits une femme fidèle.

N'avoir dettes, amours, ni procès, ni querelle,
Ni de partage à faire avec les parents,

Se contenter de peu, n'esperer rien des Grands,
Régler tous ses desseins sur un juste modèle.

Vivre avec franchise et sans ambition,
S'adonner sans scrupule à la dévotion,
Dompter les passions, les rendre obéissantes.

Conserver l'esprit libre, et le jugement fort,
Dire son chapelet en cultivant ses entes,
C'est attendre chez soi bien doucement la mort.

Como o ilustre Cristóvão Plantin, houve outros que honraram as letras e as ciências e deixaram o nome vinculado à Tipografia. Aldo Manúcio, Geofroy Tory, Froben; Roberto Estienne, douto humanista, poeta anacreôntico e sobretudo admirável impressor; o infeliz Dolet, eruditíssimo filólogo, queimado em Paris, por causa de suas opiniões atrevidas; o eminente Franklin; e Diderot, Proudhon, Béranger, Sotiau... E Pierre Leroux, gráfico de profissão, publicista sansimonista que exerceu influência nas ideias socializantes da romancista George Sand. E Jean Grave, nihilista romântico, autor dum livro muito lido há pouco mais de meio século pelos moços que então sonhavam com a reforma do mundo e dos homens, livro traduzido e divulgado em português numa edição barata feita no Porto ou em Lisboa, A sociedade moribunda e a Anarquia, como se intitulava. Jean Grave usava a blusa escura dos tipos franceses e compunha ele próprio o seu jornalzinho hererodoxo num sótão humilde onde tinha tipografia. Pablo Iglésias, simples tipógrafo autodidata em seus começos, tornou-se mestre e guia de operários, na Espanha, organizando-os com um sentido e um plano que não eram os dos políticos profissionais burgueses. Chaeles Péguy, o herói místico da nação francesa, morto em combate na Primeira Guerra Mundial, imprimiu ele mesmo, durante muito tempo, numa Pequena tipografia de sua propriedade, *Les Cahiers de La Quinzaine,* mantidos com grandes dificuldades materiais e que só desapareceram com a morte do escritor-tipógrafo, na guerra, depois de haverem revelado ao público francês uma notável falange de novos escritores.

Não poderíamos deixar em esquecimento o nome do professor mineiro Tomás Brandão, escritor, humanista e educador morto em Belo Horizonte em avançada idade, que manteve na cidade de Ouro Preto, onde eram parcos os recursos tipográficos, uma oficina particular em que imprimiu, entre outros trabalhos, o volume de histórias *O Sentimento*, livro que lemos na escola, juntamente com *O Coração,* de Amicis. Seu filho Paulo Brandão, fino poeta e prosador, prematuramente falecido, seguiu o exemplo paterno, fazendo funcionar, primeiro naquela velha cidade e depois em Belo Horizonte, uma oficina impressora, destinada a editar autores mineiros. Outro escritor de Minas Gerais, Albino Esteves, então tipógrafo em Juiz de Fora, publicou em 1900 seu primeiro livro, *Brocados*, composto, impresso e brochado por suas próprias mãos. E não esqueçamos o poeta e tipógrafo José Silva — também xilógrafo de merecimento — que teve oficina própria à Rua Augusta, 796, no Recife, na qual compunha folhetos de poesia popular, escritos e ilustrados por ele próprio, para serem vendidos nas feiras do Norte como literatura de cordel.

Entre os escritores-tipógrafos cujos nomes nos ocorrem à lembrança nenhum é talvez mais representativo que Rétif de la Bretonne, conhecido quase unicamente como autor de romances licenciosos, mas que foi em realidade "o maior escritor do século XVIII", segundo a opinião de Funck-Brentano. Rétif realizou a união mais completa do exercício da arte de escrever com o da arte de imprimir. Homem de temperamento impetuoso e desordenado, herói de estranhas aventuras, foi tipógrafo e chefe de oficina até os 33 anos, quando, tornando-se autor, compôs ele próprio as suas primeiras obras. Polígrafo de extraordinárias capacidades, era na própria caixa de composição que ele terminava suas obras, se a inspiração o exaltava. Mas o trabalho de Rétif não se restringia às próprias criações. Corrigiu um *Dicionário de Arquitetura,* escrito por um presunçoso ignorante; preconizou a reforma da ortografia, que já empregava nas suas composições; abordava tanto as teorias econômicas quanto a história; endereçou à Academia certo número de palavras consagradas pelo uso e deixou, em resumo de contas, uns duzentos volumes publicados.

Ser o escritor e o impressor das próprias obras — eis o ideal que sempre acariciamos, sem contudo o havermos jamais alcançado, por falta de meios ou, melhor, de iniciativa. Claro que semelhante ideal não pode ser o de quem escreve principalmente para ser lido pelo grande público, o de quantos trabalham com fins alimentícios e comerciais ou quaisquer outros fins práticos.

CAPÍTULO XXXI

Títulos de livros

A estratégia dos títulos. Que é preciso para que o título conquiste o leitor comum. A palavra pecado e a palavra amor. Títulos breves e títulos extensos. Títulos estranhos, ridículos e estrambóticos. Titular é uma arte.

Lembramo-nos de uma caricatura em que o popularíssimo fabricante de romances criminais Edgar Wallace aparecia em pleno trabalho, matutando, de piteira na boca:

— Como diabo intitularei meu novo romance? *O Flautista traidor, O Mormão e os Corvos, A Barrica de Vitríolo, ou O Hipnotizador de Whitechapel?*

Nos romances populares o título é muito importante. O público não faz caso do nome do autor: prefere a obra pelo título, quase sempre.

Em geral (e não só no caso dos romances populares), os que escrevem livros sabem que nem sempre é fácil escolher um título que agrade ao próprio autor e possa agradar também aos leitores eventuais.

Certos autores escolhem os títulos antes de escreverem seus livros, porém a maioria, ao que parece, só os batiza depois de concluídos. E há casos em que, já lançado o livro, o autor acha que o batizou mal e espera nova edição para o rebatizar. Assim é que o romance *República 2000*, de Menotti del Picchia, passou a denominar-se, em edição posterior, *A Filha do Inca.* E o Xavier Marques, *Botto & Cia.,* reapareceu tempos depois, em edição refundida, com o nome de *O feiticeiro.* Talvez para enganar a clientela, glosou maliciosamente Agripino Grieco.

Há leitores que se deixam apanhar na esparrela das capas coloridas, com figuras femininas despidas e o título ambiguamente escabroso. Para conquistar esta casta de fregueses, não há como publicar livros que intitulem *Mundo, Diabo e Carne, Verdade Nua ou Toda Nua,* com figuras adequadas na capa, mesmo que se trate, como tem acontecido, de simples coletâneas de artigos de jornal, sem sal nenhum. E é muito bem feito para o leitor desprevenido ou a leitora mal avisada, apanhados nesse inocente embuste.

Nem sempre o título adotado pelo autor agrada ao editor. Este, em regra, prefere nomes breves e fáceis de guardar na memória, pouco lhe importando que não tenham qualquer nexo com o assunto da obra. E quer nomes que agucem a curiosidade dos compradores. O escritor francês Pierre Mile contou que sua primeira obra de ficção se intitulava *Sobre o vasto mundo*, mas o editor vetou peremptoriamente essa denominação que não lhe parecia popular.

— Que é preciso então para que um título seja popular? perguntou-lhe Pierre Mille.

— É preciso que contenha a palavra amor e a palavra pecado, respondeu-lhe o editor.

E exclamou:

— Ah! a escritora que intitulou um romance *O amor e meu pecado* era uma mulher de gênio!

Sim, de gênio comercial.

Uma casa editora norte-americana teve a ideia de alterar a classificação habitual de seus catálogos de propaganda. Obras que figuravam sob a rubrica Biografia, Ciência, passaram a ter muito maior aceitação com a mudança para Personalidades Raras ou Maravilhas da Ciência. O êxito desse processo sugeriu-lhe a ideia de mudar também substancialmente os títulos dos livros nas traduções. Com o título *Bola de Sebo*, uma coleção de contos de Maupassant não logrou nenhuma saída. A casa editora retirou os exemplares do mercado e mudou o título para *Amor e outras histórias*. Em menos de um ano vendiam-se mais de cinquenta mil exemplares. O célebre *Romance da Múmia*, de Teófilo Gautier, passou num ano de seis mil para quarenta mil exemplares com o novo título de *Em busca de uma amante loura*.

O caso de Henrique Mann, irmão de Tomás Mann, é dos mais ilustrativos. Romancista de qualidade, mas pouco lido, fez fortuna de repente com a adaptação cinematográfica de um de seus melhores romances, *O Professor Unrath,* rebatizado com o título de *O Anjo Azul,* um dos grandes filmes da época dirigido por Sternberg e interpretado por Marlene Dietrich e Emil Jannings. Imediatamente, alguns editores pediram-lhe permissão para trocar o título original de seu romance pelo da fita. "É, curioso disse o romancista, comentando o fato, — o mesmíssimo romance, com o título original, pouco se vendeu, e o que se exibe nas livrarias com o título da fita quase sempre se esgota."

O título breve, que componha ao mesmo tempo uma boa imagem literária e tipográfica, e seja eufônica e amiga da memória é o que se procura como ideal. Em matéria de brevidade ninguém foi mais longe do que o romancista inglês Maurício Baring, o qual batizou um dos seus livros com uma letra apenas: "C". É um record que só é possível superar com uma letra mais magra, a letra "I".

Houve tempo em que se usavam títulos excessivamente extensos, à prova de memória. Alguns eram verdadeiros sumários do contexto da obra. Como este: *Pro condendis orationibus juxta grammaticas leges litteratissimi autores Bertholomei Mates libellus exorditur,* o mais antigo incunábulo espanhol, segundo alguns bibliógrafos; Barcelona, 1468. Ou este: *L'histoire palladienne, traitant des gestes et* généreux faits d'armes et d ‹amours de plusieurs grands princes & seigneurs, especialment de Palladien fils du *Roy Milanor d'Anglaterre & de la belle Selerine soeur du Roy de Portugal:* nouvellement mise en nostre vulgaire François", Paris, 1555. Ou como a obra clássica de Rabelais: *La vie trèshorrifique du Grand Gargantua père de Pantagruel Jadis composée par M. Alcofribas Abstracteur de quinte essence Livre plein de pantagruelisme.* E se acham longo, vejam este da obra célebre de Defoe: *Vida e aventuras estranhas e surpreendentes de Robinson Crusoe, de York, marinheiro, que viveu vinte e oito anos inteiramente só em uma ilha deserta da costa americana junto da embocadura do grande rio Orenoco, tendo sido lançado à margem em consequência de um naufrágio em que toda a equipagem pereceu, exceto dele próprio; com o relato da maneira não menos estranha como foi por fim libertado por piratas, Londres,* 1719. Ou este, que é de perder o fôlego: *Diário y derrotero de lo caminado, visto y observado en el discurso de la visita general de Presídios, situados en la Províncias Ynternas de Nueva España, que de orden de Su Magestad executó D. Pedro de Rivera, brigadier de los Reales Exercitos, haviendo transitado por los Reinos del Nuevo Toledo, el de la Nueva Galicia, el de la Nueva México, el de La Nueva Estremadura, el de las Nuevas Philipinas, y el del Nuevo Leon, las Provincias de Sonora, Ostimuri, Sinaloa, y Guasteca,* obra impressa em Guatemala, ano de 1736.

Já no século dezoito, por influxo francês, os livros intitulavam-se singelamente Obras, Poesias, Contos, Reflexões, Máximos, etc. Foram parnasianos os que levaram mais longe a preocupação dos belos títulos. Em seguida vieram os simbolistas, que procuravam dar aos seus volumes de poemas sutis e prosas alambicadas os nomes mais sugestivos, como se dizia no tempo de Ruskin e dos poetas e artistas pré-rafaelitas.

Há títulos que nunca tiveram explicação satisfatória, como *Le rouge et le noir,* o célebre romance de Stendhal. O autor, quem sabe? teria escolhido esse pela dificuldade de achar outro*. Assim, o espanhol Gómez Pereira, não sabendo que nome dar a uma sua obra filosófica, intitulou-a *Antoniana*

*Admite-se geralmente que o *rouge* significaria a carreira das armas e o *noir* a carreira eclesiástica.

Margarita. Dessa obra, segundo o erudito Denina, bibliotecário de Napoleão, teria Descartes pilhado o sistema filosófico que o tornou famoso.

Não faltam títulos estranhos e ridículos de obras não menos ridículas e estranhas. Nem títulos extravagantes de obras perfeitamente sérias. Sua enumeração daria um grosso volume. Recordemos alguns, entre os primeiros: *Descendência e nobreza dos macarrões*, poema de De Lemene, e *Entretenimento ditirâmbico sobre o tabaco mastigado e fumado,* de Terenciano Mauro, ambos italianos; *Elogio das minhas botas*, do alemão Arnoldo Kaune, traduzido em vários idiomas; *o Oratio pro crepitu ventris habita ad patres crepitantes ab Em. Martino, ecclesiae Alonensis decano,* cujo nome de autor e sua qualificação estão declarados no título; a *Ludovicotrofia,* obra em vários volumes, na qual o Padre Hérouard registrou todas as ações, incluídas as necessidades mais íntimas, do rei Luís XIII, desde a hora de seu nascimento até a hora do cerco de La Rochelle; o de um francês anônimo, *A antigastronomia ou O homem da cidade saindo da mesa* (manuscrito encontrado numa empada, segundo se lia no rosto do livro); sem falar em inumerável obra da série *L'Art de...*, da qual nos ocupamos no capítulo XII.

Entre os segundos — obras sérias com títulos estrambóticos — contam-se até manuais ascéticos e de devoção como os citados por *A. Scarlatti, em Et ab hic e a ab hoc: Horários para os viajantes que se dirigem ao Paraíso, fósforos para acender de amor divino os corações humanos, formicário ascético, Tabaqueira espiritual para fazer espirrar as almas devotas para o Salvador*, além de outros, quase todos do afetado século XVII.

Titular é uma arte. Compreende-se que o autor mortifique o cérebro em procura de um nome que predisponha o público em favor de seu produto. E nem sempre um título bem escolhido deixa por isso de provocar alusões e trocadilhos jocosos, ou mesmo jogos de palavras involuntários, como foi o caso de Guibert, autor de um romance intitulado *La tactique du general.* Uma senhora gentil, querendo fazer-lhe um cumprimento, disse: *J'ai lu votre tic-tac. C'est charmant!*

CAPÍTULO XXXII

A letra é sagrada

Delicadeza dos chins. Honrai o papel que contém letras! Uma velha lenda. Como um monge escriba, relapso e pecador, alcançou a clemência divina.

Sem a letra não haveria livros, nem imprensa, nem civilização literária. Sem o nosso alfabeto, como poderíamos conceder a cultura ocidental?

A letra é sagrada para todos os povos que usam a escrita. Os chineses são sabidamente duma delicadeza extrema, etérea. Os chineses (informa um viajante europeu) têm o cuidado de preservar o papel de toda sujidão e por isso não o utilizam para fins vulgares e desasseados. Em muitas cidades há grandes recipientes de bronze, postos comumente junto dos pagodes e nos quais se lançam, para ser queimados todos os fragmentos de escritos ou de impressos que se encontram no solo. Este velho uso, verdadeiramente superior e delicado (assegura o viajante), não tende a desaparecer. Houve até uma autoridade de Pequim, não há muito, que mandou espalhar pela cidade, com o mesmo fim, caixas de ferro com a seguinte inscrição: *"Honrai o papel que contém letras e tende piedade dele!*

A letra é sagrada, como o prova a seguinte lenda, encontrada num vetustíssimo pergaminho manuscrito.

Certo monge bento ocupava-se no seu mosteiro em copiar e iluminar livros de piedade tomados de empréstimo à biblioteca dum convento vizinho. Hábil e diligente calígrafo, chegara a copiar alguns volumes de escritos relativos às coisas divinas. A Escritura Sagrada, Devocionários, Doutores da Igreja, Evangeliários, Livros de ofícios, Vidas de santos (sem falar na *Consolação* de Boécio), foram, desse modo, oferecidos à edificação e salvação da alma de mais dum leitor devoto.

O monge era porém de conduta muito relaxada, sendo culpado de não poucas infrações às regras de sua Ordem. Chegada a hora do seu trânsito, a alma do religioso copista foi levada à presença do Supremo Juiz para dar conta do que fizera na terra e ser julgada em consequência de suas ações. Seu anjo mau, que esperava aquele momento com alegria verdadeiramente satânica, imediatamente articulou contra ele uma gravíssima acusação.

— Este fradinho, disse, tem mais pecados que um diabo velho. Não estou exagerando. Posso enumerá-los...

Antes que o fizesse, cortou-lhe a palavra o Anjo da Guarda do beneditino. Entrava naquele instante sobraçando uma rima de palimpsestos. — Aqui estão os livros copiados por essa alma piedosa! exclamou o Anjo da Guarda. A letra é sagrada! E cada letra vale por uma boa ação. Contemos, portanto, letras e pecados, a ver qual número é maior.

Oposta a soma das letras ao total dos pecados, viu-se que o número destes era excedido por uma só letra. Mas tanto bastou para que o anjo mau fosse confundido e os seus esforços anulados. A clemência divina estendeu-se então sobre o monge escriba, que foi, ao contínuo, devolvido à terra, para ter outra oportunidade de se corrigir e morrer em cheiro de santidade.

CAPÍTULO XXXIII

Toda palavra impressa é um monumento a Gutemberg

A prioridade da descoberta da imprensa. Três teses que a reivindicam: a alemã, a holandesa e a francesa. O quincentenário da invenção de Gutenberg. As grandes invenções e a hora mais propícia. A Tipografia, "obra da própria divindade".

A guerra prejudicou os festejos que se preparavam na Europa, em 1940, para a celebração do quinto centenário dum acontecimento que transformou a civilização ocidental: a invenção da imprensa por meio de tipos soltos. Gutenberg pode ser considerado como o inventor dessa nova técnica, não obstante as dúvidas que os historiadores semearam em torno da origem das artes gráficas.

Três teses foram sustentadas com o fito de reivindicar a honra da descoberta para a Alemanha, a Holanda e a França. Contestando a tese da prioridade alemã, houve quem atribuísse a invenção ao holandês Lourenço Coster, de Harlem. Os habitantes desta cidade afirmam que o seu patrício Coster (a quem erigiram uma estátua) inventara a imprensa entre 1420 e 1425, e que Gutenberg, apossando-se de alguns instrumentos, fugira para Estrasburgo e depois para Mogúncia, apresentando-se nessas cidades como seu inventor. Os habitantes de Estrasburgo, por sua vez, asseveram que o seu concidadão João Mentilin foi o primeiro a conceber a ideia de imprensa, e que, tendo ele admitido Gutenberg nas suas investigações, este lhe aproveitara os trabalhos, dirigindo-se a Mogúncia onde o precedera na execução do projeto. Duas versões duma história que teria ocorrido em duas situações diferentes de tempo e de lugar. A Lenda, é evidente, mostra a orelha.

O argumento favorito dos adversários de Gutenberg é que nenhum livro impresso trazia o seu nome e que o primeiro livro datado e assinado é o *Saltério litúrgico* de Mogúncia, cujo colofão menciona esta cidade, a data de 14 de agosto de 1457 e ainda os nomes de João Fust e Pedro Schoeffer. Segundo esta versão, João Gensfleisch de Gutenberg seria um nobre, pertencente à corporação dos ourives, que teria aprendido dos moedeiros a arte de abrir matrizes a punção e dos medalhistas a arte de fundir uma liga de metais em moldes previamente preparados. Mas só isto não prova que houvesse fundido os primeiros tipos soltos.

Existem porém documentos originais que depõem em seu favor, e dois ou três aludem a certa arte nova em que ele se teria empenhado. Depoimento de peso é o de Guilherme Fichet, mestre de Sorbona, que levou para a França os primeiros impressores, em 1469. Eram três, todos alemães, supondo-se que teriam aprendido seu ofício às ordens dos associados ou sucessores do inventor da imprensa. Fichet, em uma obra por ele editada, proclama a um tal João, chamado o Bonemontano (Gutenberg), como o inventor dos tipos móveis, isto é, o primeiro dos homens em idear a arte da tipografia. Outro documento de valor: a tradução de Tito Lívio, publicada em 1505 por João Schoeffer, que sucedera a seu pai Pedro Schoeffer, contém uma dedicatória ao Imperador Maximiliano, em versos alemães, que se podem assim traduzir: "Livro impresso em Mogúncia, cidade onde a arte admirável da tipografia foi inventada em 1450 pelo engenhoso Gutenberg e depois aperfeiçoada a expensas e pelo trabalho de João Fust e Pedro Schoeffer." Seria pois Schoeffer quem, após a descoberta do processo de Gutenberg, teria dado importante impulso à técnica de imprimir, achando um meio de fabricar caracteres de metal fundido.

No meio das dúvidas que alimentam a controvérsia dos eruditos em torno desta questão, diz-se que o argumento de maior monta é o achado num curiosíssimo texto que faz alusão à existência, em 1450, de um contrato de Gutenberg com João Fust, mediante o qual Fust emprestava a Gutenberg uma soma considerável, 800 florins, para executar impressões tipográficas. Crê-se que após os primeiros ensaios baldados de Gutenberg, Fust lhe fez novos adiantamentos de dinheiro, sob a condição de admitir a Schoeffer como sócio, este teria imaginado um molde aperfeiçoado para a fundição separada de todas as letras de um alfabeto de metal. Outros eruditos admitem a existência então de dois estabelecimentos rivais, o de Gutenberg e os de Fust e Schoeffer.

Embora não se conheça obra impressa em que apareça o nome de Gutenberg, são-lhe atribuídas as Bíblias de 36 e 42 linhas, e julga-se provável que seja a primeira e não a segunda a chamada *Bíblia de Gutenberg.* O certo é que a vida do grande inventor, morto em 1468 com setenta anos de idade, correu cheia de dificuldades e, como acontece amiudadamente nestes casos, coube a outros não a ele próprio, tirar proveito da invenção. Afirma-se que seu amigo Fust, que lhe emprestara dinheiro para a impressão da Bíblia latina de 1455, moveu-lhe depois um processo que Gutenberg perdeu, vendo-se obrigado a entregar ao rico emprestador todo o seu material de impressão. Morreu, assim, o inventor da imprensa sem que um só tipo solto conservasse o seu nome.

Embora discutida, cabe-lhe a glória da invenção, por ter imaginado um instrumento prático para a fundição de caracteres móveis segundo um processo realmente utilizável. Grandíssima invenção e tanto mais maravilhosa quanto já nasceu feita, madura, acabada. O livro de Gutenberg não difere do livro de nossos dias, e isto é tão verdade que, desde os fins do século passado, a tendência na produção do livro marcou um retorno à tipografia pura, aos ideais do Bonemontano no seu tempo.

O aparecimento da Tipografia assombrou a Europa, mas na realidade ela estava preparada para recebê-la. A nova arte vinha satisfazer tão premente necessidade dos espíritos que, é de crer, se Gutenberg não houvesse encontrado o meio de fabricar tipos soltos, em 1440, ou seis ou oito anos depois, a descoberta não tardaria em dar-se, de tal maneira é grande sobre o gênio do homem o império da necessidade. A prova de que chegara no momento em que a civilização mais urgentemente a reclamava acha-se na rapidez instantânea com que foi utilizada em todas as partes, com entusiasmo, com furor.

As grandes descobertas costumam chegar no momento mais propício, como se tivessem um caráter providencial. Pelo que toca à Tipografia, Crapelet, um de seus tratadistas clássicos, faz notar que *"essa admirável invenção era encarada como a obra da própria divindade"*, e *"desde as suas primeiras obras, a imprensa foi divinizada"*.

Mas nem por serem as grandes descobertas originadas pelas circunstâncias, é menos legítima a glória do inventor. A de João Genfleisch acha-se expressa muito bem nas palavras que lemos em alguma parte:

Toda palavra impressa é um monumento a Gutenberg.

Este livro foi composto com a tipografia Times New Roman
e impresso pela Meta Brasil.